CB008318

O Brasil no mundo

SEBASTIÃO CARLOS VELASCO E CRUZ

O Brasil no mundo

Ensaios de análise política e prospectiva

Direitos de publicação reservados à:
Fundação Editora da UNESP (FEU)
Praça da Sé, 108
01001-900 – São Paulo – SP
Tel.: (0xx11) 3242-7171
Fax: (0xx11) 3242-7172
www.editoraunesp.com.br
www.livrariaunesp.com.br
feu@editora.unesp.br

Programa San Tiago Dantas de Pós-Graduação em Relações Interrnacionais
Praça da Sé, 108 – 3º andar
01001-900 – São Paulo – SP
Tel.: (0xx11) 3101-0027
www.unesp.br/santiagodantassp
www.pucsp.br/santiagodantassp
www.ifch.br/unicamp.br/pos
relinter@reitoria.unesp.br

CIP – Brasil. Catalogação na fonte
Sindicato Nacional dos Editores de Livros, RJ

C964t

Cruz, Sebastião Carlos Velasco e
O Brasil no mundo: ensaios de análise política e prospectiva / Sebastião Carlos Velasco e Cruz. – São Paulo: Editora UNESP: Programa San Tiago Dantas de Pós-graduação em Relações Internacionais da Unesp, Unicamp e PUC-SP, 2010.
178p.

Inclui bibliografia
ISBN 978-85-393-0005-1

1. Brasil – Relações exteriores. 2. Brasil – Relações econômicas exteriores. 3. Brasil – Política e governo. 4. Brasil – Política econômica. 5. Política internacional. I. Título. II. Série.

10-1033. CDD: 327.81
CDU: 327(81)

Editora afiliada:

SUMÁRIO

Apresentação

Quem se lembra da ALCA? Herdeira da Iniciativa para as Américas, anunciada em meados de 1990 pelo presidente Bush pai, a ideia da criação de uma área de livre comércio abrangendo todo o hemisfério, do Alasca à Patagônia, começou a tomar forma definida em dezembro de 1994, quando os presidentes reunidos em Miami decidiram abrir oficialmente o processo de negociação da Área de Livre Comércio das Américas, estabelecendo ainda o modelo do processo negociador e o seu cronograma. Nos quatro anos que medeiam os dois momentos, os Estados Unidos viveram uma longa recessão, que ajudou a eleger o jovem governador de um dos estados mais pobres da federação, cujo talento de comunicador potenciava o mote de sua campanha "é a economia, estúpido". Em dezembro de 1994, porém, ao final do segundo ano do mandato de Clinton, o crescimento vigoroso da economia americana, marcado pelo dinamismo dos setores de alta tecnologia, confirmava a posição dos Estados Unidos como superpotência mundial incontrastável. Naquele momento, tudo indicava estarmos dando os primeiros passos em um processo de integração inexorável, que estenderia para todo o continente a experiência em curso, tida então como muito exitosa, entre Estados Unidos, Canadá e México – a Área de Livre Comércio da América do Norte, mais conhecida no Brasil pelo seu acrônimo inglês, Nafta.

É verdade, a crise cambial mexicana e as imagens desse país que chegavam às telas de TV naquele final de ano – homens encapuzados em atitude ameaçadora, portando armas rudimentares – criavam ruído e lançavam dúvidas sobre a solidez do empreendimento. Mas o momento de incerteza não durou muito. A crise foi domada com ajuda de um pacote financeiro de algumas dezenas de bilhões de dólares, preparado às pressas pelas autoridades americanas. Como o secretário de Tesouro, Robert Rubin, relataria mais tarde em suas memórias sobre o período, elas percebiam que em jogo no desmanche do peso mexicano não estava apenas o futuro do México, mas do projeto de globalização que constituía o eixo da política econômica internacional dos Estados Unidos.

Globalização. Nos dois anos seguintes, o discurso sobre um mundo sem fronteiras, unificado pelas forças do mercado exercidas através das vias abertas pelo avanço revolucionário da tecnologia, conhecia o seu auge.

Nada fazia supor que o projeto estava prestes a entrar em seu "inferno astral", se esta expressão um tanto coloquial me for permitida. Basta uma indicação telegráfica dos principais eventos da cadeia sombria para nos convencermos disso – segundo semestre de 1997: crise cambial assola a Ásia, atingindo até mesmo a Coreia do Sul, país de crescimento "milagroso", cujos fundamentos econômicos eram dados como firmes pelo FMI e pelos gurus do mercado financeiro; 1998: a crise se estende à Rússia e chega ao Brasil derrubando o Real no começo do ano seguinte; 11/1999, Seattle: reunião ministerial da OMC, da qual se esperava a abertura de nova rodada de negociações com vistas à liberalização do comércio mundial, termina em impasse sob a agitação ruidosa de dezenas de milhares de manifestantes – entrada em cena, em grande estilo, do movimento altermundista, que encontrou no Fórum Social Mundial o seu principal espaço de organização; 2001: atentado terrorista ao World Trade Center e ao Pentágono, início da guerra do Afeganistão, crise da Nasdaq – estouro da bolha das ações de empresas de alta tecnologia.

Antes disso, em 1999, as implicações políticas das desventuras econômicas tinham se revelado com força na eleição para a presidência da Venezuela de um militar de verbo abundante e gestos largos, o Coronel Hugo Chávez. Dois anos depois, Fernando de La Rúa renunciava a seu posto e a Argentina entrava no giro vertiginoso que a levou a conhecer cinco presidentes em duas semanas, a desvalorização traumática do peso, a moratória da dívida e uma recessão de profundidade inédita, da qual saiu apenas sob o impulso de políticas muito pouco ortodoxas.

No Brasil também, a falência do regime cambial que ancorava o real teve consequências políticas sensíveis, embora muito menos estrepitosas. Data daí a erosão da popularidade do governo Fernando Henrique Cardoso, a qual o "apagão" de 2001 só fez piorar. Nas eleições presidenciais, no ano seguinte, nenhum candidato apresentou-se como representante da continuidade. Os ataques à política econômica do governo Fernando Henrique Cardoso eram constantes e ninguém a defendia.

Estava em andamento a "virada à esquerda" que se fez sentir em toda a América Latina e que seria reforçada com a vitória, em 2005, de Tabaré Vásquez, no Uruguai, e Evo Morales, na Bolívia, às quais se somaram, no ano seguinte, as de Rafael Correa, no Equador, Daniel Ortega, na Nicarágua e Michelle Bachelet, no Chile.

A essa altura, a Alca, que vinha patinhando há tempos, estava arquivada, seu atestado de óbito tendo sido dado na conferência presidencial realizada em Mar Del Plata, em novembro de 2005.

Conta-se que, ao ser indagado por Kissinger sobre o significado histórico da revolução francesa, o primeiro-ministro Chou-en Lai, respondeu com impassibilidade chinesa: "ainda é muito cedo para dizer". A despeito da sabedoria contida na frase famosa, a verdade é que não podemos nos furtar aos julgamentos prematuros sobre o significado e as tendências dos processos que vivemos, pois sem eles estaríamos impedidos de decidir como responder aos problemas práticos que eles nos propõem a cada dia.

Os textos reunidos nesta coletânea nascem dessa exigência. Diferentes em sua estrutura, dimensão e estilo (por vezes ainda com algumas marcas da oralidade que esteve em sua origem), eles foram escritos em momentos diversos e em circunstâncias muito distintas. No conjunto, porém, retraçam o percurso de uma reflexão contínua sobre as transformações que marcam nossa época e sobre o lugar do Brasil no mundo.

Em sua diversidade, esses textos têm em comum a relação constitutiva com o tempo histórico vivido. Nesse sentido, eles já nasceram datados – seria impossível eliminar as referências temporais neles contidas para dar ao leitor a impressão de um presente compartilhado entre os dois atos: a redação e a leitura.

Por isso, eles são organizados nesta edição de acordo com um duplo critério: a proximidade temática e o período em que foram escritos, que estará sempre indicado no início de cada capítulo.

Por isso também eles não podem ser "atualizados", ou "corrigidos". Quando o analista avalia processos em curso, assume conscientemente um risco. Ao leitor cabe a prerrogativa de julgar, com o benefício do tempo, o grau de acerto de suas apostas.

1
EMPRESÁRIOS E TRABALHADORES NO BRASIL, COM UMA NOTA SOBRE A ALCA*

INTRODUÇÃO

O objetivo deste texto é refletir sobre as mudanças observadas nos padrões históricos de relacionamento dos empresários industriais com os trabalhadores na grande crise vivida pelo Brasil desde o início da década passada, em decorrência das transformações verificadas no enquadramento institucional da economia brasileira (abertura externa) e das mudanças políticas verificadas no país ao longo do período. Essa reflexão fundamenta uma conjectura sobre o possível impacto das negociações em torno do projeto de integração regional em escala hemisférica – a Alca – no relacionamento entre aqueles atores.

Pela amplitude dos temas que aborda e por sua diversidade, a natureza deste texto é eminentemente programática. Trata-se de um ensaio exploratório, que avança por terrenos ainda virgens. O autor está consciente do risco que assume ao iniciá-lo. Anima-o, entretanto, a certeza de que as recompensas serão proporcionais ao risco se o empreendimento for coroado de sucesso.

As relações entre empresários e trabalhadores no Brasil foram historicamente marcadas por dois macrocondicionamentos: 1) o fardo massacrante de nossa herança escravista, com tudo nela implicado em termos de padrões autoritários de sociabilidade e de naturalização das desigualdades sociais;

* Texto originalmente apresentado com o título "Notas provisórias sobre a relação empresários e trabalhadores no Brasil em tempos de reestruturação econômica, realinhamento político e reorganização internacional". Grupo Temático Sindicalismo e Relações de Trabalho. XXI Encontro Anual da Anpocs, 22-23/10/97

2) a conservação de uma estrutura agrária absurdamente concentrada, com seus conhecidos corolários: concentração de riqueza e de poder e reprodução de formas de relacionamento político calcadas em vínculos de dependência pessoal. A vigência dessas duas condições, porém, é incompreensível na ausência de um terceiro elemento, este eminentemente político: o padrão de "solidariedade mecânica" dos dominantes, o movimento típico de aglutinação de todos eles, sempre que os interesses fundamentais de alguma de suas frações foram seriamente ameaçados pelo desafio das classes subalternas. (Fernandes, 1975)

No quadro definido por essas macrocondições históricas, as relações entre empresários e trabalhadores foram caracterizadas sempre pelo poder de comando inconteste do capital na gestão da força de trabalho, pela insegurança do trabalhador no emprego, pela tenaz resistência do patronato a aceitar as organizações de defesa dos trabalhadores como interlocutores legítimos na sociedade e, sobretudo, no chão da fábrica. Tratada inicialmente como questão de polícia, a questão do trabalho (urbano) foi incorporada na agenda política nacional na década de 1920 para se converter, nas duas décadas seguintes, em foco de um dos pilares da arquitetura institucional legada à posteridade pela ditadura de Vargas: a legislação sindical e do trabalho. Esta, embora consagrasse a intervenção do Estado nesse mercado, mediante normas e regras compulsórias, tratava o trabalhador como objeto passivo, destituído de qualquer direito, de voz ou de veto na definição do conteúdo e da forma de sua atividade. Nesse arranjo, o papel do sindicato é fazer valer a determinação da lei e atuar em prol dos interesses do trabalhador como consumidor – vale dizer, lutar por melhores salários. E deve fazê-lo sob o escrutínio da autoridade estatal, respeitando os limites estreitos da legislação que regula os conflitos de trabalho. Os sindicatos fizeram essas coisas em situações democráticas; proibida a greve, sob o Estado Novo e o regime de 1964, até isso lhes foi vedado.

Procurando cobrir em poucas linhas um tema imenso e muito desigualmente explorado na literatura brasileira, essa caracterização sumária demanda uma qualificação importante: ela é produto de uma leitura política de discursos e textos legais, não de uma generalização controlada dos resultados obtidos em observações diretas sobre a organização do trabalho em diferentes setores de atividade econômica e diferentes momentos históricos. Voltaremos a esse ponto mais tarde.

A identidade do trabalhador não se define apenas por seu modo de inserção no mundo do trabalho: além de assalariado, ele é membro, também, do sistema político. Nessa condição, o trabalhador brasileiro se fez coletivamente presente, no passado, em vários momentos: primeiro, por intermédio de movimentos de pronunciada orientação ideológica, cuja radicalidade tinha como contrapartida o insulamento social e o reduzido impacto na arena política. Mais tarde, na República de 1946, ele vai aparecer sob a figura de "povo trabalhador", como base de massa de partidos e/ou políticos populistas. Com o desfecho da crise de 1964, ele sai inteiramente de cena e por cerca de quinze anos permanecerá assim deslocado. Sob o regime dos generais, os traços até aqui mencionados são sobremaneira acentuados. O poder do capital aumenta com a revogação na prática da lei que assegurava relativa estabilidade aos trabalhadores mais antigos – além de gerar fundos para a acumulação de capital, a principal função do FGTS foi propiciar elevado incremento na rotatividade da força de trabalho, ao facultar a demissão do empregado sem nenhum ônus adicional para o capitalista –; os sindicatos são privados de sua função de mediadores nos termos de contratação da força de trabalho e subsistem quase completamente reduzidos à condição de entidades assistenciais e/ou recreativas.

A partir do fim dos anos 1970, porém, esse quadro se altera em profundidade. Quatro conjuntos de fatores conjugam-se para produzir tal resultado: 1) as transformações moleculares que foram acumulando-se ao longo dos anos de rápido crescimento econômico: expansão das relações assalariadas, na cidade e no campo; urbanização acelerada; reestruturação ocupacional, com significativo aumento do emprego na indústria e em segmentos conexos do setor de serviços; alta mobilidade social; incorporação crescente de mulheres na força de trabalho; níveis mais elevados de escolarização e maior acesso a bens culturais por parte dos trabalhadores, entre outros aspectos (Santos, 1985, p.223-335); 2) a "orfandade" política a que foram condenados os trabalhadores urbanos em consequência das políticas desmobilizadoras sistematicamente perseguidas pelo regime, uma de cujas consequências não antecipadas foi a de ter aberto espaços para a emergência de lideranças novas, não comprometidas com a tradição populista e com o repertório de formas de ação política que lhe era próprio; 3) a mudança na ponderação entre custos e benefícios da ação coletiva, que estava implicada no processo de abertura política[1]; 4) a prolongada crise dos anos 1980 – a um tempo, crise do modelo de organização política e crise do padrão histórico de desenvolvimento capitalista entre nós. Na confluência dessas determinações, os anos 1980 foram marcados pela emergência de um novo movimento sindical, que arrebentava impetuosamente os diques da legislação (ela própria significativamente liberalizada já em 1985) e passava a mobilizar categorias até então social e politicamente distantes dos trabalhadores manuais (sindicalismo de classe média, professores, funcionários etc.) e que trazia para o centro da cena política personagens com dicção própria e "estranha", produto de trajetórias pessoais igualmente inusitadas. Questionado recorrentemente em sua legitimidade por empresários e governantes, agindo nas condições de elevada incerteza que a instabilidade

[1] Explorei este aspecto no artigo "1977-1978: os empresários e a reemergência da questão social" (Velasco e Cruz, 1997).

política e a inflação descontrolada produziam, esse movimento sindical pautou-se, em grande medida, pelo primado de estratégias confrontacionistas. Não espanta, assim, que esse período tenha assistido a ondas de greves de amplitude desconhecida no país e, no ano de pico, provavelmente sem paralelo em nenhuma outra parte – 672 greves, 72,5 milhões de jornadas perdidas em abril de 1989 (Noronha, 1992).

Nem todas as categorias de trabalhadores, porém, exibiram a mesma propensão ao recurso da greve na tentativa de fazer valer as suas reivindicações. Contrastando com o que se verificou no início do período, desde 1983, cada vez mais a figura do grevista tendeu a se identificar com a do trabalhador do setor público. É plausível a hipótese de que, vencida a fase inicial de confronto aberto, nos segmentos mais concentrados do setor privado (em particular os metalúrgicos), tenha se produzido entre sindicatos e empresas uma sorte de acordo tácito pelo qual compensações salariais eram concedidas com certa liberalidade, o incremento correspondente nos custos sendo passado adiante sob a forma de preços remarcados.

No início dos anos 1990, a recessão provocada pelo Plano Collor e alimentada a seguir pela natureza restritiva da política monetária soma-se ao acelerado processo de abertura externa da economia brasileira para alterar radicalmente a situação descrita anteriormente de maneira sucinta.

No que tange à ação sindical, o espectro do desemprego passou a cumprir sua função disciplinar clássica. E tivemos, consequentemente, uma redução vertical na atividade grevista. Mas a mudança mais significativa foi representada pelo surgimento, no coração metalúrgico do sindicalismo brasileiro, de uma nova tendência, a qual, levando em conta a realidade da recessão e a reorganização produtiva em escala mundial, trouxe para o primeiro plano de sua agenda a defesa do emprego. E, em seu nome, passou a desenvolver uma política propositiva que incorporava em seu traçado os dados da economia empresarial. Tendo consolidado previamente seu poder em uma dura trajetória de lutas e consciente das ameaças que pairavam sobre ele nessa nova quadra histórica, a vanguarda do sindicalismo industrial brasileiro passou a pleitear assento nos conselhos que deliberam sobre o futuro da indústria no país.

Além dos dados macroeconômicos, contribuíram certamente para o reposicionamento estratégico referido as medidas de ajuste que as empresas passaram a adotar quando se viram ameaçadas em sua integridade pelo impacto da crise e das medidas que apontavam para uma drástica mudança no enquadramento institucional da economia brasileira. Convém mencionar algumas delas:

> 1) reorganização administrativa: a) eliminação de níveis hierárquicos e esforço para envolver mais fortemente os empregados [...]; b) concentração de recursos em torno das atividades essenciais da empresa e subcontratação de atividades acessórias, espe-

> cialmente na área de prestação de serviços [...]; 2) mudança de padrões operacionais: a) redução de custos, com cortes de funcionários, controle estrito de despesas, diminuição de estoques e do endividamento; b) atenção maior à qualidade dos produtos; 3) especialização: desativação de linhas, concentração na produção de itens com demanda claramente definida e nos quais a empresa disponha de vantagens competitivas [...]; 4) modalidades alternativas de financiamento [...]; 5) recomposição jurídica: recurso alternativo à consolidação ou à fusão de empresas, com vistas ao enxugamento da estrutura administrativa, à simplificação da contabilidade e à redução de despesas fiscais [...]; 6) estabelecimento de novas alianças: fusão/associação de empresas para reforçar a posição conjunta em face dos concorrentes (Velasco e Cruz, 1997, p.161).

Esses movimentos eram claramente perceptíveis ainda no governo Collor – aliás, a relação citada foi extraída de trabalho que escrevi nessa época. Pois eles ganham dimensão ainda muito maior sob a vigência do Plano Real, quando a associação de tarifas extremamente baixas, câmbio apreciado, juros estratosféricos e políticas generalizadas de desregulamentação aguçou enormemente a pressão competitiva sobre as empresas, ao mesmo tempo que dava a estas todo tipo de incentivo para que a fórmula da sobrevivência fosse buscada na redobrada intensificação do trabalho e na importação de máquinas e equipamentos de última linha (Castro, 1996, p.75-93). E chegamos, por essa via, à equação "crescimento/desemprego/informalidade" que se encontra hoje no centro do debate.

À primeira vista, essas tendências projetam um futuro sombrio para as relações entre empresários e trabalhadores em nosso país. Com efeito, no microuniverso das unidades produtivas, elas parecem reforçar as conhecidas "taras" de nossa organização fabril: acentuada instabilidade do vínculo empregatício (Baltar, 1995); baixo envolvimento da mão de obra em decisões sobre o processo de trabalho; enormes diferenciais de salários; forte autoritarismo das chefias. No tocante às relações coletivas, aquelas tendências acentuariam sobremaneira a assimetria estrutural entre capital e trabalho, debilitando severamente os sindicatos e consagrando, na prática e no imaginário dos trabalhadores, os imperativos empresariais da eficiência e do lucro.

O conflito entre esse movimento e o conteúdo das definições constitucionais sobre direitos trabalhistas não poderia ser mais gritante. No discurso dos empresários e de seus intelectuais, ele se expressa sob a forma de demandas por maior liberdade contratual e pela redução dos "encargos sociais", vala comum em que são lançados, lado a lado, os salários indiretos e as taxas efetivamente extraídas pelo governo. Isso para diminuir o "custo Brasil", aumentar a competitividade das empresas e ampliar a oferta de empregos. As palavras de ordem desse discurso comunicam todo um programa. Aplicado à risca, ele substituiria a normatividade detalhista que caracteriza a legislação brasileira do trabalho por um sistema pautado pelos princípios do contratualismo. Um certo contratualismo, convém dizer: o poder incontrastado do empresário na fábrica continua como regra; a organização dos trabalhadores nesse âmbito permanece privada de qualquer garantia.

Nas condições macroeconômicas atuais, e considerada a herança histórica referida no início, a realização plena de tal programa tornaria ainda mais brutais os padrões de exclusão e desigualdade característicos da estrutura social brasileira. Reduzido e transformado o mercado formal de trabalho (mercado primário, no dizer dos economistas), a subsistência do trabalhador dependeria, cada vez mais, de ocupações precárias, muitas vezes situadas na zona cinzenta que medeia a legalidade e o crime. Devo salientar que o novo não está na dualidade, mas no modo de articulação entre as partes e no dinamismo que as associa: se, no passado, o crescimento econômico implicou a expansão, absoluta e relativa, do emprego na indústria e nos segmentos institucionalizados do setor terciário (Faria, 1983, p.118-163) – o que nutria a aposta "progressista" nas virtudes includentes do desenvolvimento –, parece claro, agora, que na verdade caminhamos em direção ao mundo de trevas de que nos falava Sergio Zarmeño (1996).

À primeira vista, eu disse. A um exame mais detido, o problema das relações entre empresários e trabalhadores e de seus desdobramentos futuros não se revela tão simples assim. Como já está insinuado no que precede, ele requer do analista a consideração simultânea de pelo menos três aspectos distintos: a) os padrões de gestão da força de trabalho; b) as relações coletivas – sindicatos patronais e de trabalhadores, sindicatos e empresas; c) a maneira como os interesses organizados de um e de outro campo se expressam no plano político. Tomemos o primeiro deles, para começar.

De volta aos fundamentos:

> *In every known society in which the division of labor is not fixed by custom, workers doing related tasks attempt to gain control over their workplace. This struggle for autonomy concerns every aspect of productive activity: the way tools and machines are used, and by whom; the determination of wages and income; patterns of recruitment and promotion; standards of satisfactory performance and penalties for failing to meet them; and so on.* (Sabel; Piori, 1984, p.111)[2]

Corolário da definição polanyiana do trabalho como "mercadoria fictícia", a passagem de Sabel e Piori que abre esta nota fixa com precisão o ponto de partida obrigado de qualquer análise de nosso problema. Nessa perspectiva, a pergunta a que devemos tentar responder pode ser formulada

---

[2] [Em todas as sociedades conhecidas nas quais a divisão de trabalho não é estabelecida pelo costume, os trabalhadores que desenvolvem tarefas relacionadas tentam obter controle sobre o local de trabalho. Esta luta pela autonomia diz respeito a todos os aspectos da atividade produtiva: a maneira como as ferramentas e as máquinas são usadas, e por quem a determinação dos salários e dos benefícios; os padrões de recrutamento e de promoção; as normas de desempenho satisfatório e as penalidades quando elas não são alcançadas; e assim por diante.]

como se segue: sabendo-se que as relações de poder no interior de cada unidade produtiva podem assumir configurações as mais diversas, das quais se derivam situações típicas que os agentes envolvidos enfrentam cotidianamente como problemas práticos, é possível identificar no Brasil de hoje clara tendência em direção a um novo modelo geral dominante? Em caso positivo, quais suas condições de vigência e que linhas de ação apontam para tal resultado?

A questão é de complexidade enorme. Mas podemos simplificá-la com auxílio do quadro de referência desenvolvido em trabalho de Colin Crouch (1977). O procedimento adotado pelo autor é relativamente simples e consiste em estilizar um conjunto de problemas típicos – dilemas que se configuram universalmente na relação capital–trabalho –, e inventariar as respostas alternativas – "estratégias" – que podem ser adotadas para enfrentá-los.

Assim, no tocante ao estilo de dominação, teríamos dois grandes dilemas. No plano da relação de comando trata-se de responder à questão: em que medida os subordinados são inteiramente submetidos a ordens precisas e a uma clara hierarquia? Ou, pelo contrário, são tratados com benevolência, chegando a desfrutar, tacitamente, alguma margem de autonomia? Na dimensão ideológica, incerta a atitude dos subordinados com relação à natureza da autoridade e aos objetivos da firma, a pergunta a ser respondida é esta: como reforçar a posição dos dirigentes? Encorajar o sentimento de identidade com a firma (estratégia de envolvimento)? Ou, pelo contrário, enfatizar a separação e o distanciamento?

Crouch segue na caracterização dos dilemas emergentes na gestão da força de trabalho, cobrindo ademais duas dimensões externas significativas (a intervenção do Estado no mercado de trabalho e as expressões coletivas dos trabalhadores: sua escala e seus graus de autonomia). Mas não é preciso seguir seu passo. Para os propósitos deste trabalho, os elementos introduzidos até aqui bastam para acreditar as hipóteses que se seguem:

a) Em cada caso, a escolha das estratégias a adotar será condicionada por uma série de fatores, entre os quais: 1) a natureza material do processo de trabalho; 2) a situação dos mercados relevantes e a posição da firma no interior deles; 3) as condições econômicas gerais; 4) a forma e o conteúdo da intervenção do Estado no mercado de trabalho; 5) o nível de organização e as disposições políticas e ideológicas, assim como a experiência prévia de lutas dos trabalhadores.
b) Se é assim, podemos inferir que, dentro dos marcos mais ou menos estreitamente definidos pela legislação e os usos cristalizados, essas escolhas variarão, necessariamente, entre os setores, entre as firmas e, muitas vezes, dentro delas, entre diferentes subgrupos de trabalhadores (Child, 1989, p.229-57).

c) De onde se pode afirmar, também, que o termo flexibilização é demasiadamente genérico; que ele encobre muitas coisas, e às vezes coisas contraditórias. Na economia do trabalho é comum a distinção entre "flexibilidade quantitativa" e "flexibilidade funcional". Útil como possa ser na análise de dados agregados – preocupação básica nessa disciplina –, para fins da análise política essa classificação é excessivamente rombuda. Se quisermos avançar nesse terreno, precisamos contar com um instrumento mais fino.[3]
d) Como a definição de estratégias relativas à gestão da força de trabalho é diretamente afetada pelos padrões de intervenção do Estado no mercado de trabalho e pela capacidade de luta dos trabalhadores, e como os demais fatores são condicionados, mais ou menos poderosamente, pelo conteúdo das políticas públicas, a ação empresarial nesse plano não pode ser tida como "originária", ou fundadora. Ela se torna plenamente inteligível apenas quando inserida no contexto das relações estratégicas que se tecem no terreno da política.

Contra toda tentação reducionista, o que precede nos leva a insistir nesta verdade singela: ao contrário do que poderia estar acontecendo aqui – e do que ocorre em outras partes do mundo – a reestruturação produtiva vem se processando no Brasil em um período no qual as forças políticas com raízes no mundo do trabalho sofreram uma sequência de derrotas históricas. O episódio decisivo foi a vitória do campo conservador em 1989, com a eleição de Fernando Collor de Mello, ainda que os efeitos mais evidentes disso tenham surgido somente no governo muito mais "orgânico" de Fernando Henrique Cardoso. O impacto negativo da política sindical e de trabalho deste último dificilmente poderia ser exagerado. Basta lembrar a maneira calculada como ele forçou o confronto com os petroleiros poucos meses depois de ter sido empossado; a intransigência que demonstrou durante todo o conflito (as medidas retaliatórias que adotou ou encorajou depois de vencida a batalha), e refletir sobre o significado estratégico que assumia, aos seus olhos, esse embate, travado em momento particularmente delicado, quando o governo se preparava para "esfriar" a economia e ainda se faziam sentir vivamente os efeitos da crise do México. Bastaria recordar ainda o destino que esse governo deu à experiência inovadora das câmaras setoriais, as quais – além de constituir um instrumento hábil de política econômica – continham em si a promessa de mudanças em grande escala nas relações de trabalho.[4] E pesar bem as palavras de seus porta-vozes quando entoam loas ao "modelo americano", isso em um país como o nosso, que não rompeu belicosamente com o passado nem conheceu nada parecido com o *New Deal*.

[3] A exemplo do que encontramos em Tertre (1989).
[4] Sobre a experiência das câmaras setoriais, ver Diniz (1997). Sobre o significado dessa experiência para o futuro das relações de trabalho no país, cf. Castro (1994, p.116-32), e, especialmente, Arbix (1996a, p.171-90; 1996b).

Este é o ponto que desejo salientar: as relações entre empresários e trabalhadores no Brasil são afetadas, em todos os níveis, pela ação estatal, no conjunto de suas objetivações. No campo da política econômica, da forma indicada no início deste artigo. No campo da política sindical e de trabalho, da forma que acabo de aludir. Restaria agregar uma palavra sobre o discurso, plano no qual a legitimidade da ação coletiva dos subordinados é frequentemente impugnada pelo presidente e seus porta-vozes, toda afirmação mais enfática de discórdia sendo estigmatizada como expressão do atraso e do corporativismo.

Sob o impacto conjunto desses elementos, as organizações sindicais em posição francamente defensiva, a reestruturação produtiva parece vir se dando sob o signo da "modernização conservadora" (Castro, 1994). Mas ainda sabemos muito pouco sobre o que acontece nesse nível. Os diferentes setores e regiões do país continuam muito desigualmente estudados. Conhecemos razoavelmente o que ocorre na indústria automobilística, mas, embora vital para a economia brasileira e para o sindicalismo, esse setor não é paradigmático. O que está acontecendo na siderurgia ou na indústria química? O que pode estar significando a flexibilização para os bancários? O que representará para este setor, bastião ultradefendido dos grupos nacionais politicamente mais poderosos, o processo de internacionalização que parece ter início agora?[5] E qual a situação nos portos, em que a organização do trabalho sempre foi tão peculiar (Velasco e Cruz, M.C. 1986, p.143-70; 1997) e que hoje parecem próximos de se converter em zona conflagrada? Sobre eles nosso saber é escasso. Mesmo assim, devo reafirmar minha confiança nas hipóteses formuladas anteriormente e sustentar que nesses setores tendem a prevalecer arranjos muito diversos.

Seria preciso, ademais, prestar toda atenção aos sinais que eventualmente surgirem no sentido de que contratendências possam estar operando no mundo do trabalho. E aparentemente elas estão aí: em que pese a persistência do quadro sintetizado na expressão "sindicato de porta de fábrica", quando bem trabalhados, os dados agregados mais recentes sugerem que este umbral está começando a ser transposto em muitos lugares com a ampliação, por exemplo, da presença de delegados sindicais nos locais de trabalho (Cardoso, 1997, p.97-119). Essa constatação me leva ao comentário seguinte.

Embora globalmente negativos, os efeitos diretos e indiretos das políticas governamentais sobre as relações empresários/trabalhadores não são unívocos. Apoiada por todos, a estabilização monetária tal como vem sendo produzida no Brasil penaliza muitas empresas e setores de atividade econômica. Aludi a esse ponto ao falar dos fatores que estão induzindo

[5] A comparação entre as transformações em curso nesse último setor e as que se verificam na indústria metalúrgica constitui o tema do projeto de pesquisa de Araújo (1997).

à reestruturação em curso no sistema produtivo. Acrescento agora duas observações: para os agentes que se encontram em tal situação, algumas condutas típicas se oferecem: a) reestruturar-se para sobreviver (o movimento já referido) – nos termos de Hirschman, este é o caminho da lealdade; b) escapar da posição difícil, evitando novas perdas e tentando recuperar parte do prejuízo já incorrido – a escolha da fuga, que neste caso se traduz em venda da empresa, de preferência para um grupo estrangeiro; a terceira opção é apelar para o recurso da voz, isto é, pressionar em distintas arenas por mudanças. Essas três alternativas não são excludentes, muitas vezes constando, aos pares, no plano de ação dos agentes. Não caberia especular aqui sobre a importância de cada uma delas hoje, e muito menos ensaiar exercícios prospectivos a respeito do tema. Mencioná-las, contudo, é preciso para dar sentido a certos desenvolvimentos passados – como as mobilizações conjuntas de empresários, capitaneadas pela Fiesp, e sindicalistas (representantes das três centrais), que culminaram na "Marcha a Brasília", em maio do ano passado (Gajardoni, 1996, p.4-11). É necessário também para nos desembaraçarmos definitivamente da ilusão determinista e aprendermos a reconhecer, em tempo hábil, os sinais que prenunciam o aparecimento de configurações novas.

É nesse contexto que devemos contemplar o tema das negociações internacionais sobre o comércio e, em particular, o problema da Área de Livre Comércio das Américas (Alca). Aqui, o dado fundamental é evidente: ao contrário do que ocorreu em relação ao México, nas negociações sobre o Nafta, a pretensão norte-americana de criar em curto prazo uma zona de livre comércio no hemisfério americano encontra forte oposição no Estado e em parcelas significativas do empresariado brasileiro. Essa disposição não constitui fato conjuntural, ligado à percepção do governo de turno e às circunstâncias vividas presentemente por esses empresários. Nos termos em que é colocado pelo Executivo norte-americano, o projeto da Alca atropela o processo de integração em curso no Mercosul e se choca frontalmente com as pretensões do Estado brasileiro de ampliar sua margem de autonomia no sistema internacional criando espaços de mútuo reconhecimento e vínculos privilegiados de solidariedade no subcontinente sul-americano. De outra parte, tal como concebida e nos prazos pretendidos pelos Estados Unidos, a Alca ameaça expor o sistema produtivo nacional à concorrência direta de outro, incomparavelmente mais desenvolvido, ausentes anéis protetores e em um momento em que a economia brasileira exibe grande vulnerabilidade. E mais: como arranjo visando ao estabelecimento de condições preferenciais de comércio, a Alca contraria o interesse de países e regiões com os quais o Brasil mantém denso intercâmbio e que certamente seriam induzidas a reciprocar, nessa eventualidade.

O que precede não tem a pretensão de ser uma análise das questões e dificuldades suscitadas pela Alca. Menciono esses aspectos apenas para apoiar o juízo que formulo agora: seja qual for o resultado do embate eleitoral do ano que vem, confirme ele o prognóstico corrente ou não, nesse âmbito não é de esperar nenhuma mudança significativa no posicionamento do governo brasileiro. E se houver – por exemplo, no caso de uma improvável derrota de Fernando Henrique Cardoso – será no sentido de acentuar a distância hoje existente entre a posição brasileira e a orientação do governo norte-americano. Podemos então raciocinar tomando como estável essa configuração do conflito.

Se é assim, acredito poder avançar as observações que se seguem:

a) No tocante ao tema da Alca, as relações entre Estado, empresários e sindicatos assumem uma feição diversa daquelas que prevalecem em distintas arenas internas. Do ponto de vista do trabalho organizado, também, a perspectiva de uma integração hemisférica a toque de caixa é perturbadora e, nesse sentido, o governo pode contar com apoio nessa área em sua tentativa de resistir ao *diktat* da potência hegemônica. Mas os sindicatos têm uma área de convergência com setores do governo e da sociedade norte-americana em um item específico: a questão da cláusula social, a qual, por sua vez, opõe, internamente, sindicatos e o bloco governo/empresários.
b) Historicamente, os grupos subordinados fortaleceram-se sempre nas situações em que, por razões externas, o concurso de sua solidariedade foi requerido pelos dominantes. As expressões mais cabais dessa verdade são as mudanças sociais que, restabelecida a paz, costumam ocorrer nos países beligerantes. Não estamos diante de nada remotamente parecido com uma situação desse tipo. Mas não importa: a regularidade referida manifesta-se nos mais variados contextos.
c) As negociações sobre a Alca mal estão começando. Seu futuro, mesmo nos Estados Unidos, é incerto – basta ver a dificuldade que o Executivo tem encontrado para aprovar no Congresso o *fast track* (autorização para negociar tratados comerciais sem a intervenção tópica do legislativo) e lembrar quanto foi difícil obter a aprovação dos acordos relativos ao Nafta. Nada disso, porém, torna mais fáceis as coisas para o Brasil. Pelo contrário. O padrão de conduta do governo americano nesse caso é muito evidente: diante da resistência que enfrenta no plano doméstico, ele redobra a pressão sobre os Estados latino-americanos para poder usar, o mais rapidamente possível, o consenso deste como argumento contra seus adversários internos.
d) Embora canalizadas para a celebração de um acordo intergovernamental, as negociações em torno da Alca desde o início envolveram outros atores: empresários e ONGs, primeiro, mas agora também sindicatos e parlamentares. À medida que elas avançam vai se constituindo, assim, um campo de forças, uma arena diferenciada, no interior da

qual os participantes tenderão a se aglutinar em torno do governo de seus respectivos países, mas onde as linhas de comunicação e de barganha interfronteiras serão usuais. Nesse jogo, o grau de coesão do campo mais fraco será um dado vital. Isso envolve as relações entre os governos que o compõem, naturalmente. Mas inclui também, em cada um deles, o conjunto dos atores sociais.

e) A consideração conjunta dos quatro pontos anteriores sugere que esse processo pode ter reflexos importantes nas relações entre empresários e trabalhadores, com implicações difíceis de antecipar.

* * *

Este texto foi redigido em agosto de 1997. Desde então, alguns acontecimentos mudaram dramaticamente as condições macroeconômicas e políticas que balizavam o exercício prospectivo nele ensaiado. O mais importante desses acontecimentos foi, naturalmente, a eclosão da crise financeira internacional, que já se prenunciava àquela época, com a turbulência vivida pela Tailândia em julho, mas que se instalou definitivamente alguns meses depois, com a derrocada das moedas coreana e indonésia, deu um giro mais radical com a moratória russa, em agosto de 1998: e nos atingiu em cheio em janeiro de 1999.

Em associação com esses desenvolvimentos, mas de forma alguma a eles redutível, outro fato marcante foi a mudança no quadro político implicada nos resultados das eleições de outubro/novembro de 1998 (vitória oposicionista em sete estados, três deles incluídos entre as unidades mais importantes da federação; derrota do candidato da direita em São Paulo, batido, em segundo turno, por um político situacionista, mas com relacionamento tenso com o governo central, cuja vitória só foi possível pelo apoio que lhe emprestaram nomes representativos dos partidos de oposição (entre os quais a candidata do PT, que disputou com ele o segundo lugar no primeiro turno, voto a voto) e as mais expressivas lideranças sindicais.

Nesse interregno, dois fatos importantes incidiram nas negociações sobre a integração hemisférica. 1) A conclusão de um acordo na reunião interministerial de San José, na Costa Rica, preparatória do encontro de chefes de Estado que se realizaria em Santiago do Chile, em abril de 1998. Nessa ocasião, contrariando as expectativas de muitos, foi aprovado consensualmente documento definindo o formato e o calendário das negociações[6]

[6] O processo de negociação será conduzido por comitê composto de vice-ministros de comércio dos 34 países envolvidos, encarregado de coordenar o trabalho de nove grupos negociadores distribuídos pelas seguintes áreas: acesso a mercado; investimento; serviços; compras governamentais; resolução de disputas; agricultura; direitos de propriedade intelectual; subsídios; *antidumping* e direitos compensatórios; política de concorrência (*competition policy*). Cf. Wrobel (1998, p.547-63).

2) A rejeição (243 contra 180 votos) pela Câmara de Representantes do projeto de lei dando a Clinton autorização para negociar acordos comerciais passíveis apenas de aprovação ou rejeição pelo Congresso, não de serem emendados.

Esses fatos alteram os dados de nosso problema de várias e contraditórias maneiras.

Para começar, é evidente que a exibição de fragilidade financeira, o pedido de socorro e a aceitação dos termos estabelecidos pelo FMI para que o empréstimo fosse efetivado foi um episódio que reduziu significativamente a margem de liberdade do governo brasileiro em sua relação com os Estados Unidos. Não só isso, esse episódio teve como corolário a intensificação dos atritos com a Argentina, tingindo de cinza o empreendimento mais ambicioso de nossa diplomacia: o Mercosul. No limite, esse efeito poderia levar o governo brasileiro a ceder em toda a linha às exigências americanas nas negociações com vistas à Alca. Nessa eventualidade, em suas relações com o Estado os sindicatos nada teriam a ganhar no processo. Coadjuvantes de uma política cautelosamente resistente que teria sido abandonada, estes se veriam, agora, diante de duas alternativas igualmente ingratas: aplaudir, como simples espectadores, o espetáculo que lhes estaria sendo exibido; ou reclamar, mais ou menos ruidosamente, incapazes de afetar o andamento deste e sem possibilidade de extrair, de sua conduta, nenhuma vantagem.

A probabilidade de tal desfecho, porém, deve ser questionada. Ele seria plausível apenas em um ambiente econômico de tal forma degradado que ao governo não restasse alternativa salvo renegociar periodicamente, de joelhos, os termos do acordo com o Fundo Monetário Internacional. No momento atual, essa possibilidade é tida pela maioria dos analistas como remota. O temor de fortes pressões inflacionárias parece ter sido infirmado e o impacto da desvalorização cambial sobre a saúde financeira das empresas nem de longe replicou o caso asiático (no qual as empresas operavam dentro de um regime de acumulação fundado no crédito, saíam de um período de sobreinvestimento e estavam, em consequência, cobertas de dívidas [Wade, 1998, p.1535-53] – condições muito distintas das que prevaleciam no universo empresarial brasileiro no início de 1999). Os mais otimistas entrevêem, inclusive, a possibilidade de um novo surto de crescimento, baseado em produção interna substitutiva e no aproveitamento mais intenso de um parque industrial que se modernizou enormemente pela incorporação de equipamentos e métodos de gestão mais avançados.

Decerto, seria possível contrabalançar esta visão com dados menos animadores: os resultados da balança comercial continuam frustrantes; o desequilíbrio financeiro do setor público permanece crítico e sob muitos aspectos foi agravado (aumento explosivo do custo da dívida); a momentânea estabilização da taxa de câmbio tem resultado da entrada de investimento de curto prazo e, portanto, é eminentemente volátil. Vista por esse ângulo, a economia brasileira poderia até atingir uma posição de equilíbrio, mas este seria eminentemente instável e teria como correlato um desempenho medíocre.

Para o argumento delineado aqui, entretanto, o grau de realismo de uma ou outra dessas avaliações não é o mais importante. O elemento decisivo é a maneira como os diferentes cenários econômicos plausíveis podem se traduzir na conduta brasileira nas negociações sobre a Alca. Ora, isso nos leva à consideração das mudanças verificadas no plano das relações políticas de força no país, desde o fim de 1998.

Sobre esse aspecto, vou me limitar a duas breves indicações: 1) como resultado conjugado das eleições de 1998 e da resposta à crise cambial, Fernando Henrique Cardoso está em posição incomparavelmente mais vulnerável àquela por ele desfrutada no primeiro período de seu governo; 2) sua vulnerabilidade política tende a variar fortemente em função do comportamento da economia, entre outros fatores.

Ora, mas se é assim, ficamos com duas possibilidades polares: a) estabilização/recuperação econômica – redução correspondente do poder de chantagem do interlocutor no processo de negociação externa; b) crise/deterioração econômica e social – fragilização política crescente do governo, fragmentação de sua base de apoio –, contestações crescentemente efetivas de sua autoridade para celebrar compromissos de longo prazo no plano internacional.

Quanto aos dois eventos diretamente referidos à negociação da Alca, embora importantes, eles não mudam qualitativamente a natureza do processo. O governo norte-americano fez concessões e o Brasil afirmou-se como seu principal interlocutor nas discussões que pavimentaram o caminho para o encontro de cúpula de Santiago; mas as orientações dos principais atores e os recursos de que dispõem para objetivá-las não variaram substancialmente. A derrota do *fast track* dramatiza a força do protecionismo e as divisões que marcam o debate norte-americano sobre o projeto de integração regional – mais amplamente, sobre a política econômica internacional dos Estados Unidos. Mas nada disso constitui novidade.

2
Organizações internacionais e reformas neoliberais: reflexões sobre o tema da propriedade intelectual*

Organizações internacionais, reformas neoliberais: dois temas extensos, que poderiam justificar, cada um deles, vários artigos. E o que dizer da questão de suas relações mútuas? Para começar, ela nos confronta com evidências brutas. Basta pensar no que acontece hoje com a nossa vizinha Argentina, mantida por longos meses em crise agônica por sua resistência a adotar as medidas preconizadas pelo FMI, a começar pela alteração dos dispositivos legais que punem crimes de "subversão econômica" e dão alguma proteção a empresas falidas. São apenas duas preliminares. Sem elas estarão indefinidamente bloqueadas as negociações em torno dos sacrifícios a que o país ainda deverá se sujeitar para obter da referida agência o suporte institucional e financeiro indispensável ao restabelecimento de condições mínimas de normalidade para sua economia. Aqui a relação entre organização internacional e processo de mudança interna parece evidente, direta e opressiva. Mas a crise argentina é um caso extremo e o FMI não pode ser tomado como representativo do universo das organizações internacionais. Aí reside a dificuldade: como passar da observação de fatos discretos como esses a proposições de caráter geral que ampliem nosso conhecimento?

O caminho aparentemente mais simples seria inverter o processo: formular hipóteses sobre o problema proposto com base em teorias estabelecidas e verificar, no momento seguinte, até que ponto elas são confirmadas

* Texto redigido com base em exposições orais realizadas no II Encontro Nacional dos Estudantes de Ciência Política (II ENEPOL), UNICAMP, Campinas, 21-27/09/2001, e no colóquio Instituições Internacionais, PUC-Minas, Belo Horizonte, abril de 2002. Originalmente publicado em Esteves, Paulo Luiz (org.) *Instituições Internacionais: segurança, comércio e integração*. Belo Horizonte, Editora PUC-Minas, 2003.

ou refutadas no confronto com os dados empíricos. Mas esse caminho é longo e pedregoso. Os limites de tempo e preparo físico desaconselham até mesmo a tentativa de segui-lo.

Vou tomar, então, um atalho. Em vez de partir das noções em causa, começo contando uma pequena história. Uma história real, que talvez não seja de todo estranha à experiência do leitor. Feito isso, procurarei refletir um pouco sobre alguns dos significados implícitos no episódio, na esperança de que os resultados do exercício lancem uma nova luz sobre o nosso problema.

A história é a seguinte. Tempos atrás, um estudante, orientando meu no mestrado em Ciência Política da Unicamp, foi à cidade de São Paulo para coletar documentos a respeito de seu tema de dissertação, que girava em torno do pensamento de um autor autoritário, com papel de destaque na política brasileira: o mineiro Francisco Campos. Esse senhor, como se sabe, foi o redator do decreto que instituiu o Estado Novo em 1937. Foi de sua lavra também o Ato Institucional n.1, que suspendeu as garantias constitucionais e abriu o caminho para a primeira leva de cassações de mandatos e suspensões de direitos políticos depois do golpe de 1964. Homem de grande saber jurídico, Chico Campos, como era conhecido, tinha reputação firmada na praça: durante seu longo ostracismo, quando seu nome voltava às primeiras páginas dos jornais, era o sinal seguro de que algo sombrio estava por vir...

Mas o que interessava ao estudante eram os discursos proferidos por Francisco Campos durante a ditadura Vargas, em sua condição de ministro da Justiça. Pois bem, tendo vencido a ponta de medo que o gigantismo da cidade de São Paulo lhe causava, quando apresentou ao funcionário da Biblioteca Municipal os volumes que havia selecionado, teve a desagradável surpresa de saber que não poderia tirar fotocópias dos documentos de que necessitava. Acredite o leitor, é isso mesmo: a Biblioteca Municipal de São Paulo declarava-se legalmente impedida de reproduzir, ou admitir que fossem reproduzidos, trechos de qualquer obra de seu enorme acervo, ainda quando se tratasse de documentos oficiais velhos de mais de sessenta anos.

Quando Tiago me contou esse incidente, fui tomado de forte irritação. Irritação com a covardia. Irritação com a estultice de um administrador anódino, o qual, incapaz de interpretar o que lê, toma uma medida administrativa que restringe o trabalho de pesquisa acadêmica muito mais do que o exigido pelo texto da lei.

Mas tal experiência não é um "privilégio" desse estudante. Como já disse, fatos dessa natureza talvez não sejam estranhos à experiência do leitor. Não são estranhos à minha. Convém esclarecer que nunca ninguém me proibiu de copiar um documento da década de 1930. Mas várias vezes, em vários lugares – em universidades públicas e privadas –, já fui cerceado em meu direito de fazer uma reprodução de texto inexistente em qualquer outro lugar do país, sob a alegação de que estaria infringindo a lei com tal ato.

O diploma aludido nessas ocasiões era a Lei n.9.610, de setembro de 1998, que altera e consolida a legislação sobre direitos autorais no Brasil.

O leitor pode se perguntar: o que uma historinha como essa, uma simples anedota, está a fazer em um artigo que versa sobre temas tão grandes e importantes como organizações internacionais e neoliberalismo.

Começo a responder pela margem, citando algumas passagens de reportagem publicada no jornal *O Estado de S. Paulo* há não muito tempo.

> As regras de patentes da Organização Mundial do Comércio (OMC) garantem mais benefícios aos países ricos que às economias em desenvolvimento. Essa é uma das conclusões do relatório Perspectivas da Economia Mundial em 2002, publicado ontem pelo Banco Mundial, sugerindo reavaliação das leis de propriedade intelectual.
>
> O Banco Mundial mostra que os países ricos conseguiram lucros significativos com a aplicação das leis de propriedade intelectual a partir de 1995. As patentes de empresas dos Estados Unidos registradas pelo mundo rendem a Washington US$ 19 bilhões todos os anos. Já as patentes alemãs rendem US$ 6,7 bilhões anuais ao país. (Chade, 2001)

Abrangendo muito mais do que obras científicas, artísticas ou literárias (seus dispositivos protegem, entre outras categorias de bens, os programas de computador), a lei de direitos autorais integra a legislação sobre propriedade intelectual, que cobre também as diferentes modalidades de propriedade industrial (invenções, marcas e segredos industriais). Quando levamos em conta o conjunto desse universo, vemos que a historinha que acabei de contar alude a algo de grande monta. E não apenas pelo que representa em termos econômicos. Deve estar bem viva na lembrança de todos o conflito diplomático que ainda ontem opunha o governo brasileiro às multinacionais da indústria farmacêutica e ao governo norte-americano, em torno da questão de preços de remédios, particularmente os empregados nos programas de tratamento da Aids. Por meio daquele breve relato, tocamos em questão que diz respeito às condições de produção e de difusão do conhecimento, à possibilidade de realização de projetos individuais e coletivos de desenvolvimento, o próprio direito à vida. Esta é a primeira razão para começar com aquela historinha. A segunda é que ela nos chama a atenção para um aspecto pouco explorado de uma das pontas de nosso problema. Refiro-me ao neoliberalismo.

No uso corrente, o termo "neoliberalismo" conjuga três elementos diversos: 1) uma doutrina; 2) um movimento; 3) um programa político.

Como corrente de pensamento, como doutrina, o neoliberalismo define-se pelas relações de afinidade ou de oposição que mantém com outras vertentes ideológicas e políticas – o conservadorismo clássico, o socialismo, a social-democracia e/ou o keynesianismo. Mas não só isso. Como variante teórico-ideológica muito particular, ele se caracteriza também por suas diferenças relativamente ao tronco comum representado pelo liberalismo econômico oitocentista.

Vale a pena salientar esse aspecto. Contra seus antagonistas de sempre (os conservadores, "corporativistas", os socialistas, os "coletivistas"), os neoliberais reiteram os velhos temas do liberalismo econômico. Mas não é aí que reside sua especificidade. O que os torna diferentes é que eles não se limitam a essa operação, a rigor inócua. Os neoliberais se distinguem, primeiro, por sua atitude em face da realidade do capitalismo politicamente regulado do pós-guerra – vale dizer, por sua disposição genuinamente "fundamentalista" de reafirmar as virtudes do capitalismo *belle époque* e de rejeitar os compromissos sociais que fundam a organização social do capitalismo contemporâneo. Nesse sentido, o neoliberalismo não é conservador, muito menos progressista: ele é, pura e simplesmente, reacionário.

Mas o neoliberalismo não seria o que é caso se limitasse a tal atitude. Toda ideologia nasce e se conforma no embate com inimigos. No caso do liberalismo clássico, a figura do "inimigo" era representada pelas instituições e as políticas econômicas tal como racionalizadas pelos teóricos do mercantilismo. Confrontados com antagonistas distintos, criaturas de um mundo que pouca semelhança mantinha com aquele de Adam Smith ou David Ricardo, a atitude ultramontana dos neoliberais seria alvo de escárnio se mobilizasse apenas os temas clássicos do liberalismo. O que singulariza o neoliberalismo, em sua qualidade de variante teórico-ideológica, é sua capacidade de responder, com inovações conceituais, ao desafio posto pelos novos adversários.

Em sua condição de movimento, o neoliberalismo nos remete a uma *success story* quase sem par. Se fosse o caso de narrá-la, haveria que retroagir ao fim da Segunda Guerra Mundial para flagrar os primeiros sinais trocados entre intelectuais (grande parte deles oriunda da Europa continental) inconformados com o giro coletivista que o capitalismo vinha conhecendo desde a crise dos anos 1930 e dispostos a resistir organizadamente à onda "socializante" no período de reconstrução que já se anunciava. Observaríamos com grande interesse os esforços desenvolvidos por esses personagens com vistas à criação de mecanismos indispensáveis à tarefa de aprofundar e generalizar seus pontos de vista, de traduzi-los em linguagem passível de ser compreendida pelo cidadão comum e de propagar as mensagens assim produzidas em públicos-alvo. E acompanharíamos, com interesse redobrado, o percurso que os levaria às antessalas do poder, nos Estados Unidos e na Inglaterra.

Ação coletiva de grande envergadura, o neoliberalismo, como movimento, sempre teve – para falar como Gramsci – os seus soldados (nos primórdios, dispersos e desmobilizados); os seus sargentos (em número crescente, ao longo do tempo, e cada vez mais preparados); seus coronéis e generais (um punhado de intelectuais altamente aguerridos e sofisticados).

Como movimento, o neoliberalismo beneficiou-se, desde o início, das relações de "afinidade eletiva" que círculos das altas finanças mantinham com a doutrina que o inspirava. Com efeito, do primeiro e semissecreto encontro, em um recanto bucólico, que deu o sinal de largada à sua longa marcha, até a consagração final, quando seus argumentos passaram a informar documentos de governo e vários de seus próceres foram aquinhoados com o Prêmio Nobel, a história do neoliberalismo é pontilhada de nomes de banqueiros, financistas, executivos de grandes corporações etc.

Com toda a antipatia que o leitor porventura alimente pelos animadores desse movimento, uma coisa não se lhes poderá negar: eles se bateram com garra para tornar vitoriosas suas ideias. Mas o êxito que alcançaram não advém da intensidade do esforço empenhado ou da inteligência com que foi dirigido. O sucesso do movimento neoliberal se verifica em um período em que o capitalismo central está em crise e não seria plausível na ausência desta.

Mencionar esse ponto é preciso porque ele nos conduz à terceira acepção do termo: o neoliberalismo como "programa", um pacote de políticas – o receituário das ditas reformas. Esse é o sentido mais corrente do termo e, nesse plano, a caracterização não parece colocar maiores dificuldades. Se perguntarmos a qualquer pessoa mediana informada – sobretudo se ela tiver pendores de esquerda – o que entende por neoliberalismo, muito provavelmente ouviremos que o neoliberalismo é um programa que se caracteriza pelo esforço continuado no sentido de atacar os sindicatos, de reduzir os direitos conquistados a duras penas pelos trabalhadores; uma política que visa a reduzir, tanto quanto possível, a presença do Estado na economia, mediante programas radicais de desregulamentação dos mais diversos setores de atividades e da privatização de empresas públicas; uma política que defende a estabilidade monetária a qualquer preço, mesmo que o significado deste seja a geração de índices brutalmente elevados de desemprego; uma política, enfim, que rejeita a ideia de controle social da economia e exalta o mercado autorregulado como único mecanismo racional de coordenação econômica e como fundamento obrigado do regime político centrado no princípio da liberdade. Programa voltado para a generalização da lógica mercantil no interior de cada sociedade, em sua face externa o neoliberalismo aspira à constituição, em escala planetária, de um espaço econômico homogêneo no qual bens e capitais (mas não pessoas) circulem livres de qualquer embaraço, indiferentes a considerações de caráter social, político ou cultural.

Mas a política de qualquer grupo, mesmo de um movimento ideologicamente definido, é sempre algo mais e algo menos que a simples transposição ao terreno das realidades mundanas de preceitos derivados logicamente da doutrina. Mais, no sentido de que envolve necessariamente uma infinidade de dados e circunstâncias impossíveis de dedução a partir de qualquer corpo fixo de proposições gerais (o elemento próprio da teoria é a generalidade; o da política é o particular, o específico, matéria de apreciação e juízo). Menos, nisso que implica, também necessariamente, um processo de "negociação com a realidade" cujo resultado final é algo distinto e aquém da imagem difusa do futuro desejável que se desenha como projeção da doutrina.

Se é assim, para caracterizar "a política do neoliberalismo", não basta ler os textos canônicos; é preciso ver como os grupos/tendências políticas identificadas com essa perspectiva atuam, que problemas enfrentam, que alianças precisam estabelecer para se colocar em posição de implementar os seus projetos. É preciso examinar, enfim, como definem "programas de ação passíveis de se tornar politicamente efetivos". Tal constatação nos permite ver que a tarefa é muito mais complicada do que pareceria à primeira vista. Pois ela significa dizer que não há uma resposta única para a pergunta. Assim como o marxismo, o neoliberalismo informa políticas distintas, que se diferenciam no tempo e no espaço, e que certamente se traduzem – na relação entre os políticos "neoliberais" – em termos de contradições, conflitos mais ou menos agudos de pontos de vista.

Convém assinalar, embora os três significados do termo neoliberalismo estejam intimamente associados, que eles não mantêm relações necessárias entre si. Naturalmente, não há como falar em movimento neoliberal sem um corpo doutrinário no qual ele se identifique; mas não podemos antecipar as formas organizacionais e as modalidades de intervenção do movimento com base no estudo exclusivo dos textos que o inspiram. Outro tanto podemos dizer da conexão entre movimento e políticas. Quando passamos de um significado a outro, novos elementos são introduzidos e as formas de análise requeridas para lidar com os conjuntos que eles conformam, consequentemente, variam.

Segundo o significado que se tenha em mente, o neoliberalismo se reporta a sujeitos de tipos distintos. Como doutrina, ele remete a um punhado de autores talentosos e de grandes recursos: von Mises, Hayek, Kopcke, Friedman, Tullock, Buchanan... Vários desses nomes reaparecem quando lidamos com o movimento neoliberal, mas ao lado deles, no desempenho de papéis de relevo, vamos encontrar agora indivíduos com inserção social muito diversa – políticos, empresários, jornalistas – e certa classe de atores coletivos, centros de estudo, associações, institutos. Quando transitamos para as políticas, os grandes autores desaparecem quase inteiramente; no lugar deles organizações governamentais e intergovernamentais, como o Banco Mundial e o FMI, com os tecnocratas que as dirigem, surgem como protagonistas.

Doutrina, movimento, programa. Certamente, mas a narrativa com que se abriu este capítulo sugere que o neoliberalismo é mais do que isso. Com efeito, quando refletimos sobre aquele pequeno incidente e buscamos levá-lo em conta ao esboçar figuras de futuros plausíveis, vemos que neoliberalismo é também outra maneira de se referir a uma situação objetiva, a uma realidade moldada pela conjugação de ideias, movimentos e políticas, que se confrontaram com outras ideias, movimentos e políticas e foram bem-sucedidas.

À medida que as ideias neoliberais ganharam predominância, passaram a informar decisões que mudaram a face da sociedade. Temos o capitalismo hoje como tínhamos no passado. Só que não estamos mais falando do mesmo capitalismo. Em 1970, o Brasil não reconhecia direitos de patentes para remédios. Até muito pouco tempo eu, como professor, nunca fui inibido ao entregar uma lista de textos ao serviço de fotocópia, dentro desta ou daquela biblioteca. Hoje isso acontece. Nós vivemos em um país que não é o mesmo país de 1989, nem sequer de 1994.

Mas se falamos em neoliberalismo para nos referirmos ao estado de coisas vigente devemos perceber que, nessa acepção, o termo não se reporta mais a este ou aquele sujeito definido. Em 1950 vivíamos o apogeu do keynesianismo, do Estado de Bem-Estar, do "Capitalismo Monopolista de Estado", para lembrar expressão que esteve em voga até os anos 1980 e depois, por motivos óbvios, caiu em desuso. Então, o neoliberalismo era uma doutrina e um movimento pequeno, isolado, que existia nas catacumbas, na semiclandestinidade de alguns centros acadêmicos mais ou menos periféricos na Inglaterra e nos Estados Unidos. Mas, hoje, quando suas políticas traduziram-se em decisões e se converteram em normas institucionalizadas porque expressas em comportamentos efetivos, o neoliberalismo não ocupa mais lugar determinado: ele existe na atitude de cada um. Existe na atitude do funcionário que opera a máquina de fotocópia, que diz: "Olha, não posso. O limite é de dez por cento. Este artigo tem 80 páginas e a revista tem apenas 300; então, eu não posso copiar todo o artigo" – acredite, leitor, isto aconteceu comigo. Em sua ação cotidiana, esse indivíduo está pondo e repondo um elemento que, não sendo a síntese do neoliberalismo, é uma expressão importante do conjunto de mudanças que a grande mobilização de recursos econômicos, políticos e militares vem engendrando, em escala global, desde a penúltima década do século XX. Vale dizer, nessa quarta acepção, o neoliberalismo não existe fora de nós. Como as relações sociais capitalistas, que se reproduzem também pela ação do trabalhador "livre" dos meios necessários para subsistir como ser social por conta própria e, por isso, é obrigado a sair em busca de um "trabalho", o neoliberalismo, como conjunto de formas institucionalizadas, é confirmado toda vez que, em cada encontro, em cada situação de intercâmbio social, as regras operacionais que lhe dão corpo são naturalizadas, isto é, seguidas automaticamente, como se inexistisse a possibilidade de condutas alternativas.

Até aqui as ideias que venho desfiando giram em torno de um dos polos de nosso problema: as reformas neoliberais. Mas se contemplarmos a história que nos serve de mote de um ângulo diverso, logo veremos que ela nos induz a refletir sobre o outro, também. Senão, vejamos.

O Brasil, em 1997, aprovou um Código de Trânsito. Muito interessante, muito civilizado, mas, como grande parte das leis no país, parece que não "pegou". A Lei de Propriedade Intelectual, pelo contrário, está "pegando". Não caberia aventar aqui uma explicação elaborada para essa notável diferença. Mas vale a pena chamar a atenção para um elemento simples, que talvez ajude a entender, senão a dificuldade de disciplinar o trânsito nas ruas e estradas brasileiras, pelo menos a eficácia imprevista dos dispositivos da legislação referida anteriormente. As normas do Código de Trânsito defendem um interesse genérico e difuso (a segurança), num universo de pessoas que inclui, em primeiro lugar, o próprio autor da infração. A lei que protege a propriedade intelectual é de natureza inteiramente distinta. Monopólio temporariamente outorgado ao detentor do direito em retribuição ao benefício social advindo de sua criação (uma obra original, uma invenção), o instituto da propriedade intelectual incide num feixe de relações essencialmente conflitivas, em que se entrecruzam os interesses do consumidor, do produtor e de seus concorrentes. Desse fato deriva-se uma diferença fundamental no que tange ao modo de efetivação da norma. Ao contrário do que se dá no caso da Lei de Trânsito, cuja observância depende estritamente da iniciativa do poder público, o que assegura a aplicação da lei de propriedade intelectual é a ação dos interessados, os quais, organizados para esse fim, redobram esforços para detectar violações e, quando isso ocorre, acionam ou ameaçam acionar seus responsáveis na justiça. Não é o Estado, são as associações de defesa de direitos autorais que escolhem determinados lugares onde o movimento é maior e dizem: "Olha. Se isto não mudar, moveremos um processo contra você". Processo penal. Por isso eu falei em covardia: muito frequentemente, indivíduos investidos de autoridade não têm a coragem de assumir o risco de serem interpelados judicialmente por atos ou por omissões que estariam praticando na defesa dos interesses mais elevados das instituições que dirigem.

Agora, quando o funcionário da biblioteca invoca o interdito para negar ao estudante a possibilidade de reproduzir o seu material de pesquisa, ele pode ter em mente a lei federal. Mas isso é pouco provável: ele não está ali para indagar as razões do que faz; ele cumpre ordens, é tudo. Nem de longe lhe ocorre que, certo ou errado, por meio de seu ato, dá efetividade a uma norma internacional. Pois ele faz exatamente isso.

Com efeito, a Lei n.9.279 (de Propriedade Industrial), de 14 de maio de 1996, e a Lei n.9.610 (de direitos autorais), de 19 de setembro de 1998, adaptam a legislação brasileira às normas estabelecidas no Acordo sobre os Aspectos dos Direitos de Propriedade Intelectual Relacionados com o Comércio (Trade-Related Aspects of Intellectual Property Rights – Trips, como é mais conhecido, na sigla em inglês) celebrado no encerramento da Rodada Uruguai do Gatt, em abril de 1994.

Naturalmente, o regime internacional de propriedade intelectual não constitui uma novidade dos nossos dias. Ele remonta ao último quartel do século XIX, quando foram aprovadas a Convenção de Paris (em 1883) – que estabelece normas gerais sobre o tema e prevê a criação da União Internacional para a Proteção da Propriedade Industrial, fundada em 1884 – e a Convenção de Berna, de 1886, sobre propriedade intelectual, direito autoral e *copyright*. Fruto de prolongado esforço de harmonização, o modelo estabelecido nessa época evitava discriminação ao assegurar "tratamento nacional" aos estrangeiros, mas deixava a cada Estado a competência para atribuir patentes em seus respectivos territórios, segundo suas próprias regras, e para estabelecer normas contra práticas abusivas. Tratava-se, pois, de um regime descentralizado, no qual era facultado aos Estados negar proteção patentária a certos produtos – como medicamentos –, ou condicioná-la a certas obrigações – "licença obrigatória" e "trabalho compulsório", por exemplo.

Mantido em suas linhas gerais por mais de um século, esse modelo seria drasticamente transformado pelas normas acordadas na última rodada de negociações do Gatt, que ampliam sua abrangência, dotam-no de disciplinas mais rígidas e o vinculam diretamente ao regime internacional de comércio. Até então, o regime de propriedade intelectual baseava-se na adesão dos Estados nacionais e em sua disposição de fazer valer as normas voluntariamente consentidas (criada em 1950, a Organização Mundial de Propriedade Intelectual – Ompi – desempenhava, sobretudo, funções de mediação, carecendo inteiramente de instrumentos coercitivos). Sob a alçada da recém-criada Organização Mundial do Comércio, ele passa a contar com um organismo de caráter judicial, competente para se manifestar sobre qualquer caso de infração às normas, sempre que a isso instado por um Estado-membro. Para esse regime renovado, também vale a afirmação de Kelsen quanto ao caráter primitivo do direito internacional: a sanção aos infratores continua sendo descentralizada, isto é, a cargo do denunciante, que está legalmente autorizado a retaliar, desde que seu pleito é acolhido. Mas, ainda assim, ele constitui um passo adiante no sentido da jurisdização das relações econômicas. A aplicação de sanções a um dado Estado não corresponde mais a um ato de hostilidade bruta, suscetível de provocar resposta de mesmo teor numa escalada passível de desencadear uma situação de guerra comercial. No quadro dos dispositivos criados, o referido conflito termina com a sentença. A hostilidade comercial entre os países envolvidos pode ter curso, mas ela deve se traduzir em novos litígios que deverão, igualmente, ser levados à apreciação dos juízes.

Essa rápida exposição pode induzir no leitor a ideia de uma relação direta e linear entre a mudança de regime – e, portanto, a organização internacional – e as reformas na legislação interna em matéria de propriedade intelectual. Estaríamos aqui diante de um fenômeno de internalização da norma internacional, que começaria com um projeto do Executivo, passaria pela deliberação congressual e terminaria com os comportamentos adequados às expectativas embutidas nela.[1] Essa impressão, contudo, é enganosa.

Para começar, o projeto que dá início ao processo de reforma da legislação brasileira sobre propriedade intelectual (o PL 824/91) foi enviado ao Congresso por Collor em 30 de abril de 1991; mais de dois anos, portanto, antes da conclusão da Rodada Uruguai do Gatt. Ademais, a lei sancionada em maio de 1996 contém dispositivos que vão além do que está disposto no acordo celebrado naquela ocasião, como a possibilidade de estender a proteção a produtos ainda em fase de desenvolvimento, o *pipeline* na linguagem cifrada em que se tornou conhecido enquanto durou a discussão. Finalmente, o Brasil abriu mão do prazo de que dispunha, segundo o Gatt, para adequar sua legislação aos termos do Trips – como país "em desenvolvimento" o Brasil teria até o ano de 2005 para assegurar em lei patente para produtos e processos até então não protegidos (os farmacêuticos, por exemplo), mas o governo determinou que a legislação entrasse em vigor apenas um ano depois de sua data de publicação. Esses fatos parecem indicar que, embora associadas, a mudança legal interna e a transformação do regime internacional se relacionam de forma mais sutil. Não seria o caso de examinar a fundo essas relações, mas convém chamar a atenção para alguns dos nexos mais importantes.

O primeiro deles diz respeito aos interesses sociais que se mobilizaram para modificar em profundidade o antigo regime de propriedade intelectual. A dianteira nesse processo parece ter cabido, ainda no fim dos anos 1970, aos produtores de artigos sensíveis ao uso fraudulento de marcas e a imitações – entre eles a Levi Strauss Corporation, dona de uma das mais conhecidas marcas de jeans (Doremus, 1995, p.149). Pouco depois, entravam em cena as indústrias intensivas em informação. A partir desse momento, a campanha pela modificação do regime de propriedade intelectual ganha verdadeiro alento. Fortemente organizados nos Estados Unidos e rapidamente dotados de sólidos apoios em outros países capitalistas avançados, esses interesses passam a pressionar por mudanças na política norte-americana de comércio exterior, em um ambiente econômico e político que assegurava ampla receptividade aos seus argumentos (Sell, 1999, p.169-97).

O segundo tem a ver com a reorientação estratégica na conduta do Estado norte-americano, que se produz nessa mesma época. Refiro-me, evidentemente, ao choque de juros determinado pelo FED em 1979, que precipitou a economia internacional em sua mais severa recessão desde o fim da Segunda Guerra, lançou os países do Terceiro Mundo na "crise da dívida" de triste memória e inverteu radicalmente as relações de força então predominantes entre os Estados Unidos e os outros componentes

[1] Sobre o tema, ver o estimulante artigo de Cortell e Davies (2000, p.65-90).

da tríade – o Japão e a Europa. Penso também na posição ofensiva diante do rival soviético – que se explicita na presidência de Reagan, mas já se insinua claramente no fim da gestão Carter. Tenho em mente, enfim, a mudança político-ideológica que se manifesta na celebração do discurso neoliberal em sua expressão mais doutrinária e mais crua. Em seu conjunto, esses movimentos surgem como resposta mais ou menos integrada a uma situação de crise na qual – sob o efeito cruzado de problemas internos e da pressão de aliados que se revelavam surpreendentemente competitivos – a hegemonia americana parecia estar fadada ao declínio. Nesse contexto, a proposta de vincular propriedade intelectual e comércio como forma de defesa da economia nacional encontra grande aceitação e logo se converte em um dos eixos da estratégia econômica internacional dos Estados Unidos. Isso já se evidencia na reforma da Lei de Comércio e Tarifas, de 1984, que inclui a proteção inadequada aos direitos de propriedade intelectual como motivo para abertura de ação no United State Trade Representative (USTR), abrindo caminho para a adoção de medidas retaliatórias contra o país em questão. E fica mais claro ainda com a Omnibus Trade Bill, de 1988, que obriga a autoridade comercial a divulgar anualmente uma relação de países "prioritários", por sua resistência a dar efetiva proteção aos direitos de propriedade intelectual e por obstruir o acesso a seus mercados de empresas norte-americanas dependentes de tal proteção. A lei estipula prazos definidos para a ameaça e a adoção de sanções contra o país acusado e garante aos produtores domésticos participação no processo aberto contra o suposto infrator (Sell, 1999, p.180-5). Encabeçando – junto com Coreia, Cingapura, Indonésia, Malásia, México e Tailândia – a lista dos principais suspeitos, ao longo da década de 1980 o Brasil foi alvo de forte pressão por parte dos Estados Unidos que, para esse fim, usaram amplamente tais instrumentos.

A ação bilateral, contudo, foi apenas uma das linhas na estratégia da potência hegemônica. A outra, que ela explorou sistematicamente desde o início, foi a iniciativa no plano multilateral visando à abertura de nova rodada de negociações no Gatt, com a inclusão na pauta de novos temas – propriedade intelectual, investimento externo e serviços. O resultado da conjugação dessas duas linhas é sabido: ao preço de algumas concessões marginais, e a despeito da incerteza que cercava a efetivação das normas acordadas, em muitos países os Estados Unidos conseguiram quebrar a resistência vocalizada principalmente pela Índia e pelo Brasil e obtiveram no capítulo relativo ao tema que nos ocupa quase tudo que pretendiam.

Se acrescentarmos aos elementos de informação contidos nestes breves comentários o que sabemos sobre as condições vividas pelo país no fim da década de 1980, poderemos formar uma ideia das circunstâncias em que se deu a decisão de reformar a legislação brasileira de propriedade intelectual. Sagrado pelo voto conservador em uma "eleição crítica" que dividiu o Brasil em dois campos de tamanho praticamente igual, recebendo como herança de seu antecessor uma economia corroída por anos de convivência com uma inflação descontrolada, que disseminava comportamentos defensivos e exasperava conflitos de toda sorte, assumindo a Presidência sob a comoção dos fatos que marcaram o fim da Guerra Fria, augurando o advento de uma nova era a ser construída sob a égide benigna – esperava-se – da potência vitoriosa, antes mesmo de ser investido no cargo, Fernando Collor de Mello deixou claro que a solução do pesado contencioso que envenenava as relações Brasil–Estados Unidos constituiria uma das prioridades de seu governo. A intenção, como se sabe, logo se traduziu em ato: abertura comercial, mudança de atitude nas negociações da Rodada Uruguai do Gatt, nova posição em relação a temas "sensíveis" como ecologia, direitos humanos e proliferação nuclear: já no primeiro ano de seu mandato Collor imprimiu uma mudança drástica na orientação da política externa brasileira.[2] Cumprimento de promessa feita durante sua visita a Washington, ainda na condição de presidente eleito, o Projeto de Lei de Proteção à Propriedade Industrial, o referido PL 824/91, de 30 de abril de 1991, inscreve-se nesse contexto.

Não vou me estender sobre as marchas e contramarchas que marcaram a tramitação desse projeto nas duas casas do Legislativo. Para os propósitos do argumento que desenvolvo aqui, basta dizer que ela se deu sob intensa pressão do *lobby* das multinacionais da indústria farmacêutica e constantes ameaças por parte do governo norte-americano.[3] E acrescentar que, embora vitoriosos, esses interesses não se deram por satisfeitos com o resultado alcançado. Nas palavras cruas de Donna Hrinak, embaixadora dos Estados Unidos no Brasil, "A legislação brasileira [a Lei de Patentes] é admirável. Mas não há nenhum processo judicial em andamento e ninguém chegou a ser preso.[4] Ela foi generosa na avaliação do texto legal: para o Executivo norte-americano, os dispositivos da lei que permitem ao governo pressionar as multinacionais farmacêuticas para forçá-las a reduzir preços de medicamentos são inaceitáveis. Por ambos os motivos – impurezas na lei e implementação insatisfatória – a ameaça de sanções continua a pender sobre as autoridades brasileiras como uma espada de Dâmocles.

Podemos, agora, retornar ao tema que levantamos no início desta discussão. Existe uma norma internacional, e com a OMC – uma organização competente para julgar denúncias de violações, autorizando a punição do faltoso pela parte que se sinta prejudicada. Mas a lei que o funcionário

---

[2] Sobre a guinada operada na política externa brasileira durante o governo de Collor, cf. Arbilla (1997); Hirst e Pinheiro (1995); Mello (2000). Para um argumento que salienta o caráter coletivo da disposição que se manifesta nessa nova posição e a importância do contexto da crise nacional para entendê-la, ver Velasco e Cruz (2001, p.135-58).

[3] Apresentação e análise competentes de todo o processo de negociação que conduz à Lei de Proteção à Propriedade Industrial, de 1996, podem ser encontradas em Borges (2000).

[4] "EUA podem ir à OMC contra pirataria brasileira". *O Estado de S. Paulo*, 5 jun. 2002.

aplica ao vedar a cópia de um texto, ou limitar a parcela dele que pode ser reproduzida pelo estudante, não se explica pela existência de tal norma. Ela resulta de um processo complexo, que, embora envolva a referida organização – mas no início do processo ela nem sequer tinha sido criada! –, tem origem em outros sítios e é movido por forças externas à sua órbita.

A observação precedente nos devolve ao tema das reformas neoliberais. Se o neoliberalismo é uma doutrina, um movimento e um conjunto de políticas; se – como o exemplo que serve de fio condutor para esta reflexão sugere – as políticas neoliberais se difundem em escala planetária sob a impulsão de megagrupos econômicos e da ação estratégica dos Estados mais poderosos, sob a liderança da hiperpotência capitalista; se essas políticas passam a se traduzir em normas legitimadas pela adesão geral a organizações internacionais que zelam por sua observância; se, uma vez aplicadas em dado país, essas políticas se institucionalizam e passam a moldar comportamentos, o neoliberalismo se objetivou, transformou-se em realidade. Ele não está mais aqui ou ali, está em todo lugar. Ele está também em nosso agir cotidiano. Porque vivemos essa realidade, fazemos ou deixamos de fazer fotocópias, fazemos ou deixamos de fazer seguros de saúde – mesmo sabendo que, dessa forma, estamos dando a nossa contribuição infinitesimal para a falência da seguridade pública. Queiramos ou não, estamos implicados nesse conjunto de mudanças, que nos envolve a todos. Mas, se é assim, devemos concluir que o neoliberalismo é pura positividade, algo que "está aí", algo que podemos lamentar ou aplaudir, mas estamos condenados a aceitar? Eu diria que não, decididamente não. Porque o neoliberalismo assim entendido é uma forma de dominação e, se há dominação, há resistência: há razão e meios para se rebelar.

Há meios de resistir porque a dominação nunca é monolítica, inteiriça. O neoliberalismo, em qualquer de suas dimensões – como doutrina, como movimento, como política e, muito mais ainda, como institucionalidade –, apresenta-se sempre como um conjunto de elementos habitado por contradições.

Tome-se de novo o caso da propriedade intelectual. Algo estranho ao neoliberalismo? Já vimos que não. A criação de um novo regime de propriedade intelectual é um dos carros-chefes da reestruturação econômica mundial que vem se processando desde a década de 1980 sob a égide do neoliberalismo. E isso por razões muito ponderáveis: em torno da questão das patentes, o que está em jogo é a Internet, a informática, a indústria do entretenimento... vale dizer, a criação/preservação de espaços para a afirmação e a expansão ilimitada dos mais importantes e dinâmicos grupos econômicos do mundo de hoje. Estamos falando da Microsoft, por exemplo. O neoliberalismo é isso também. Contudo, o que o direito de patente faz é criar algo antagônico a ideias caras ao liberalismo econômico.

Monopólio temporariamente atribuído ao inventor, seus defensores sempre buscaram na tradição liberal argumentos para justificar o que, em princípio, se afigura como anomalia: falam, assim, em "direito natural do criador sobre os frutos de seu trabalho" e condenam a violação desse suposto direito como "pirataria". Mas provêm dessa mesma tradição os contra-argumentos usados para refutá-los: para que alguém seja proprietário de alguma coisa é preciso que seja capaz de possuí-la, mas quando o indivíduo compartilha suas ideias, já não pode controlá-las, elas se tornam públicas; se as ideias ocorrem independentemente a várias mentes, elas não são de ninguém; como todo indivíduo se inspira livremente nas ideias de outros, não lhe cabe reclamar direitos exclusivos sobre "suas" ideias; se a propriedade intelectual fosse o reconhecimento de um direito natural, não poderia ser limitada, temporal e espacialmente.[5] Têm origem igualmente na vasta e diversa tradição liberal os argumentos que se baseiam na utilidade para justificar o instituto que limita o acesso à obra e o uso da invenção. Nessa linha, a renda gerada pelo direito de propriedade intelectual é necessária para estimular a produção intelectual e artística e assegurar o fluxo permanente de inovações. Mas, o revide que ele suscita brota também do solo daquela tradição: não há unidade de medida para a utilidade social de uma obra ou um invento, e a contrapartida do interesse que a sociedade tem no surgimento continuado de inovações é seu interesse em que as novas conquistas tenham a mais ampla e acelerada difusão.

As decisões a respeito de propriedade intelectual – sejam referentes à definição dos mecanismos legais de proteção, sejam relativas a conflitos sobre pleitos localizados – são eminentemente políticas. Nas palavras de um especialista acima de qualquer suspeita: "O Direito de Propriedade Intelectual é uma forma de regular uma relação entre adversários, suas regras distribuem custos e capacidades entre grupos concorrentes que mantêm entre si relações de soma-zero" (Doremus, 1995, p.137-62). Já vimos que os grupos interessados em fazer valer direitos de propriedade intelectual cada vez mais abrangentes são ativos e organizados; não há razão alguma que impeça seus adversários – aqueles que têm interesse na difusão mais ampla do conhecimento, ou no acesso a medicamentos a preços módicos, por exemplo – de se mobilizarem em defesa de seus pontos de vista. Argumentos não lhes faltarão.

Organizar-se para resistir. Não se trata de uma quimera, e vemos mais claramente que não quando levamos em conta como as barreiras levantadas pelos direitos de propriedade intelectual afetam interesses que transcendem de muito o universo dos consumidores finais. Com efeito, à medida que as tecnologias de informação se convertem em elementos essenciais à organização da produção e da prestação de serviços e, à medida que os ramos a elas dedicados se tornam mais maduros, os conflitos intercapitalistas sobre a propriedade intelectual se multiplicam, elevando a um patamar

[5] Esses argumentos são discutidos na obra de Penrose (1974, p.22ss.).

crescentemente absurdo o custo social da estrutura criada para geri-los. Na análise do já citado especialista,

> *as the technology develops, its dimensions become more fully understood, and the truly novel characteristics of the technology become more well defined; consequently, IPR rules tend to become more narrow and precise. Ultimately, as the technology become more mature, what were once innovative products or processes become standardized, and technological change becomes much more incremental.*
>
> *In the context of market-share competition in a developed technology, IPR rules begin to take a zero-sum character: firms use IPR claims to protect their competitive advantage and either maintain or increase market share, which typically comes at the expense of immediate competitors. In the context of market-share competition, public policy considerations shift from considerations of innovation to considerations of competition.*[6] (Doremus, 1995, p.157)

Mas as contradições não terminam aí. A proteção de direitos é tanto mais fácil quanto mais tangível é a coisa cuja propriedade deve ser protegida. Quando a forma predominante de riqueza é a de bens de raiz (tipicamente, a terra), a proteção é frequentemente exercida pelos próprios interessados, que se dotam de meios físicos e humanos para exercer a violência requerida para esse fim. Com a generalização das relações mercantis e o rompimento consequente dos vínculos que prendiam os indivíduos a comunidades ancestrais, a proteção dos direitos sobre bens móveis – expressão mais importante de riqueza, agora que são produzidos como mercadorias – exige a intervenção de um corpo especializado, operando no contexto de sistemas de vigilância e controle social incomparavelmente mais finos. Ora, quando passamos a um universo em que bens intangíveis (a informação em suas múltiplas formas) aparecem como a forma por excelência da propriedade, e onde a disseminação de instrumentos de tecnologia cada dia mais sofisticados permite que a informação seja reproduzida de forma cada vez mais simples, a custo tendencialmente nulo, a tentativa de lhes dar proteção estrita esbarra em problemas praticamente insolúveis. Como evitar que,

[6] [À medida que a tecnologia se desenvolve, suas dimensões se tornam mais bem entendidas, e suas características verdadeiramente novas mais bem definidas. Consequentemente, as regras de direito de propriedade intelectual tendem a se tornar mais restritas e precisas. Por fim, com o amadurecimento da tecnologia, os produtos e processos que foram inovadores no passado tornam-se padronizados, e as mudanças tecnológicas passam a se dar de forma muito mais incremental.
No contexto da disputa pela participação no mercado em um setor de tecnologia desenvolvida, as regras do direito de propriedade intelectual começam a adquirir caráter de soma-zero: as empresas reclamam direitos de propriedade intelectual para proteger suas vantagens competitivas e para manter ou aumentar sua participação, o que acontece tipicamente às expensas de seus concorrentes imediatos. No contexto da disputa por mercados, o foco da política pública desloca-se da política de inovação para a política de concorrência.]

munido de um gravador de CD e de um computador, um adolescente qualquer selecione músicas de sua preferência e as ofereça gratuitamente a um auditório universal ao torná-las disponíveis via internet? Esse adolescente existe e se tornou mundialmente conhecido como o criador do Napster. Qual o sentido de proibir a fotocópia de livros, quando o interessado pode reproduzir a informação nele contida com a ajuda de um *scanner* e colocá-la em rede para o desfrute de leitores espalhados nos quatro cantos do globo? Como impedir violações a direitos de propriedade, quando os bens em questão se tornam, materialmente, de apropriação cada vez mais livre?

Sabemos a resposta que tem sido ensaiada e ela tem implicações terríveis. Se as oportunidades de "violações" crescem exponencialmente, estas devem ser coibidas mediante penalidades incomparavelmente mais severas – sob pressão do *lobby* da indústria de software o Congresso dos Estados Unidos modificou a legislação pertinente para tratar a cópia não autorizada, antes definida como infração menor, como crime grave, sujeito a multas astronômicas e a penas de até cinco anos de prisão (Warshofsky, 1994, p.196) – e de um sistema de detecção cada vez mais intrusivo, que entra em conflito flagrante com o princípio da proteção à privacidade, um dos pilares do liberalismo.

Conhecemos a receita que vem sendo aplicada, mas não é certo que seus resultados sejam os pretendidos. Reacionária, no sentido estrito do termo, a luta para anular virtualidades criadas pelo avanço tecnológico parece fadada ao fracasso, como tantas outras empreitadas do gênero. E não só pelas dificuldades intrínsecas nela envolvidas: a "fuga para a frente" em que se lançam os seus proponentes abre novas possibilidades de contestação ideológica e política, que transcendem em muito o âmbito da questão que as origina.

Seria possível repetir o exercício apenas variando o tema. Tomemos por exemplo o caso da energia elétrica. Hoje, estamos no Brasil diante de uma realidade de fato: o Estado brasileiro até 1993 geria grande número de empresas públicas, entre elas as que se encarregavam da geração e da transmissão de energia elétrica. Esse patrimônio, como se sabe, foi desmontado, foi entregue a preço subsidiado a investidores privados, a maioria deles representantes de grupos internacionais. Trata-se hoje de uma realidade dificilmente reversível.

Como os seus congêneres, o processo de privatização do setor energético foi conduzido sob justificativas que aliavam razões de oportunidade – escassez de recursos públicos para a realização dos investimentos requeridos – e a menção a princípios, velhos e bons princípios do liberalismo. Pois veja o que acontece agora. Por decisão da Agência Nacional de Energia Elétrica o preço pago pelo cidadão aumentou brutalmente. E por quê? Porque o consumo caiu. Coisa mais curiosa... Pelo que aprendemos nas aulas de introdução à economia, os preços aumentam quando a demanda se expande. É assim que o mercado funciona. Mas não o mercado de energia elétrica, que não é um mercado concorrencial e continua tendo seus preços sob controle administrativo. Em princípio, nada a criticar: o estado da Califórnia brincou de mercado livre nessa área e o resultado foi o desastre, como pôde ser visto. O problema é que as empresas dizem mais ou menos assim para o governo: "Novos investimentos para ampliar a capacidade de geração e transmissão de energia elétrica? Não. Vamos comprar o que já existe. Agora, dentro de certas condições. Naturalmente não vamos gastar bilhões de dólares em uma empresa que está para ser privatizada sem ter garantia de retorno". E o governo, então, retruca: "Tudo bem. Nós vamos estabelecer cláusulas contratuais que assegurem o equilíbrio econômico e financeiro do empreendimento". E assim o lucro, que no discurso liberal é a retribuição auferida pelo empresário pelo risco incorrido, na área de energia elétrica passa a ser premissa para ele assumir o negócio. E quando o governo impõe uma redução compulsória da demanda, porque estamos em crise, além de sermos obrigados a mudar de hábitos, somos penalizados com uma elevação de tarifas! Este é mais um terreno no qual o neoliberalismo, ao se converter em realidade, expõe a sua vulnerabilidade política.

Uma palavra rápida, para terminar. Tendo vencido os últimos parágrafos o leitor menos crédulo estará pensando: "Vulnerável? Há mais de vinte anos o neoliberalismo vem empreendendo uma reorganização econômica em escala planetária a um custo social enorme, e por todos os lados tem feito isso sem encontrar resistências de vulto. Como falar de fragilidade política do neoliberalismo?".

Em resposta a essa objeção provável, eu insistiria. Se há um *status quo*, há maneiras de subvertê-lo. Agora, a subversão é uma função, matematicamente falando, da coisa a ser subvertida: não se luta eficazmente contra o capitalismo neoliberal da mesma maneira que se lutava contra o capitalismo da era fordista. Mas o reconhecimento dos pontos sobre os quais se pode atuar e de como incidir sobre eles não surge de imediato. Ele é fruto de longo processo de aprendizagem, que se desenvolve à medida que os agentes elaboram reflexivamente os dados emanados de sua experiência.

Se o presente texto puder contribuir, ainda que minimamente, para esse resultado, ele terá alcançado seu objetivo.

3
GLOBALIZAÇÃO, NEOLIBERALISMO E O PAPEL DO ESTADO*

O momento para discutir este tema não poderia ser mais oportuno. Com efeito, estamos às vésperas de um pleito no qual escolheremos nossos representantes no Senado, na Câmara dos Deputados e nas Assembleias Legislativas, um pleito em que seremos chamados ainda a decidir sobre quem governará o estado em que vivemos, e a quem delegaremos a responsabilidade de conduzir o nosso país. Estamos também em meio a uma crise financeira internacional sem precedente, desde os idos da década de 1920.

Um pouco esquecido, o tema da crise internacional voltou às manchetes com a derrubada do rublo e continuou a dominá-las sob o efeito das reações em cadeia provocadas pela moratória da Rússia. Desde então, temos sido repetidamente sacudidos pelas notícias de mais um dia negro nas bolsas, mais um país em apuros. Temos visto e ouvido o discurso interessado dos "homens do mercado"; registramos com inquietação a palavra mais sóbria dos analistas. Por esses e outros meios, tomamos conhecimento da gravidade dos fatos e do risco neles envolvido. Temos ciência de que a agonia da Rússia é apenas um episódio de uma crise muito mais ampla e profunda que se iniciou na Ásia em julho do ano passado, com a desvalorização da moeda tailandesa, e antes do fim do ano já havia vitimado igualmente a Indonésia, a Malásia, a Coreia – todos eles "tigres", novos ou velhos, exemplos, até ontem, para nossos países da América Latina. Sabemos também que não estamos a salvo. Temos noção do perigo.

* Comunicação apresentada no XII Encontro Estadual da APASE (Sindicato de Supervisores do Magistério no Estado de São Paulo), Águas de Lindoia, 16/09/98.

Hoje, como ontem, o Brasil vem sendo fortemente afetado pela turbulência dos mercados. Em momentos de incerteza e nervosismo, o dinheiro procura abrigos seguros e sempre há alguém procurando tirar vantagem. No ano passado, o governo respondeu a um ataque contra o real com o anúncio de uma série de medidas de contenção fiscal – sem maiores consequências – e uma brutal elevação das taxas de juros – que prostrou a economia e produziu índices de desemprego até então nunca vistos. Agora, com as finanças públicas já fortemente degradadas e com as eleições à porta, o governo abstém-se de qualquer providência mais forte, preferindo "comprar tempo" mediante a adoção de novas regras, que favorecem ainda mais o investimento em capital de curto prazo e aumentam, a curto ou médio prazo, a vulnerabilidade externa de nossa economia.

Em um momento especial como esse, tomar distância dos fatos e refletir sobre o contexto mais amplo em que eles se inscrevem, muito mais do que simplesmente oportuno, é uma necessidade vital.

Qual o papel do Estado no contexto da globalização? A pergunta vem a calhar porque nos coloca frente a frente com um discurso muito difundido, que justifica os atos dos governantes de turno e os absolve de toda responsabilidade pelos efeitos perversos de suas políticas. Esse discurso nos conta uma história singela, que pode ser resumida mais ou menos da seguinte forma.

Até algum tempo, o capitalismo organizava-se sob a forma de uma economia internacional. "Inter", porque integrada, estreitamente interligada por fluxos volumosos de comércio e de investimentos, pela ampla circulação de indivíduos e de ideias, pela difusão permanente de formas organizacionais e novas maneiras de produzir. "Nacional", porque neste sistema a unidade básica continuava sendo o mercado interno de cada país. Espaços institucionalmente diferenciados com fronteiras bem defendidas, as economias nacionais constituíam o foco de atenção das empresas (mesmo as multinacionais) e o palco em que o jogo de rivalidades entre elas se desenvolvia.

Hoje não é mais assim. Sob o impacto das mudanças revolucionárias que vêm se produzindo nas tecnologias de transporte e de comunicação, as antigas fronteiras vão sendo derrubadas ou se tornam cada vez menos efetivas. Ao facilitar extraordinariamente o acesso e o tratamento de informações, ao possibilitar o estabelecimento de contatos eletrônicos instantâneos por todo o globo, ao reduzir drasticamente o tempo e o custo do transporte a longa distância, as novas tecnologias dão um ímpeto inédito à internacionalização do capital. Assistimos, então, a uma mudança profunda no comportamento das empresas, que passam a distribuir suas atividades segundo estratégias compreensivas no contexto das quais a diferença entre espaços domésticos e externos deixa de fazer sentido. Neste mundo novo que surge aos nossos olhos, a própria ideia de mercado nacional perde substância. A economia é global; seu ritmo e seu dinamismo respondem a movimentos cuja escala é o planeta.

Com essa mudança, o papel do Estado se altera radicalmente. Antes, ele era chamado a intervir para fomentar e dirigir o processo de desenvolvimento. O que o Estado fazia, com maior ou menor grau de sucesso, pelo manejo soberano de um conjunto de instrumentos de política econômica e da orientação que imprimia às atividades de suas empresas. Agora, com a globalização, todas essas fórmulas e as ideias que os acompanhavam estão ultrapassadas e insistir nelas é dar provas de idiotia. No quadro da economia global, o Estado pode até ser operoso, mas não tem vida: em tudo que faz é monitorado pelos capitais móveis, universalmente cobiçados, e pelas agências especializadas que lhes prestam serviço. Incapaz de subordiná-los às suas prioridades, impotente até mesmo para obrigá-los a sentar à mesa e fazê-los aceitar barganhas em que suas pretensões não sejam plenamente atendidas, o Estado deve reverenciar esses capitais – ou "o mercado", seu nome coletivo – e transformar-se em uma criatura voluntariamente dócil e servil, única possibilidade que lhe resta se deseja ser minimamente efetivo.

Ora, dependência rima com irresponsabilidade. Esse Estado obediente ao mercado até procura assistir os desvalidos e reduzir desequilíbrios sociais mais gritantes: se não consegue fazer mais, não lhe cabe a culpa.

O enredo é conhecido ele aparece regularmente sob duas roupagens. A versão crítica é declamada pela esquerda trágica. A versão apologética atende pelo nome de neoliberalismo. No apertado resumo anteriormente descrito, foram propositalmente misturados elementos das duas. Entre elas, as diferenças não são apenas teóricas ou valorativas. A versão neoliberal não se limita a registrar ao seu modo a realidade da economia-mundo. Ela contém fórmulas bem definidas sobre como essa realidade deve se constituir e o que deve ser feito para garantir tal resultado. Na versão neoliberal, mais do que um processo, a globalização é um macro-objetivo.

Em uma ou em outra versão, esse argumento parece bastante persuasivo. Entretanto, quando exposto a um olhar menos crédulo, ele não resiste.

Em primeiro lugar, ele envolve um raciocínio circular. Isso fica patente quando preenchemos suas lacunas. Senão, vejamos: o principal fator a restringir a autonomia do Estado é a liberdade com que se movimentam os capitais. Como precisa deles e não pode controlá-los, o Estado procura atraí-los e, nesse sentido, deve curvar-se à sua vontade. Mas a vivacidade dos capitais não é um fato recente (era igualmente grande no fim do século passado), nem um produto das novas tecnologias (o telégrafo e os cabos submarinos já permitiam a transmissão instantânea de dados e notícias). Ela resulta de mudanças institucionais que vêm sendo introduzidas no sistema financeiro internacional e nos principais países desde o início dos anos 1970. Ora, em ambos os planos, a liberalização financeira foi produzida por decisões e ações dos Estados. Se hoje o Estado é inibido pelos efeitos de suas políticas passadas, cabe dizer que ele se autolimita. Em princípio, ele poderia reverter o que fez e recriar as condições para o exercício de graus maiores de autonomia.

Em segundo lugar, a imagem projetada pela tese da globalização exagera alguns e deixa de lado outros aspectos importantes da economia mundial. Se é verdade que, depois de quase trinta anos de liberalização financeira, é possível falar com alguma propriedade de um "mercado global de capitais", o mesmo não acontece com o comércio, a indústria e os serviços, para não falar da agricultura. Mesmo considerando apenas o universo das empresas multinacionais, estudos mais circunstanciados demonstram cabalmente a importância preponderante que continuam tendo para elas os seus respectivos mercados nacionais – ou regionais, no caso das empresas europeias.

De certo ponto de vista, porém, o decisivo está em outro lugar. A força do discurso da globalização deriva em grande medida de sua correspondência com certas características da economia internacional, quando esta opera em condições de relativa normalidade. Nesses períodos, tudo parece se passar de acordo com o figurino: os capitais se movem combinando, em dosagens variadas, os objetivos de lucratividade e segurança; os Estados se abrem, empenham-se em programas permanentes de reformas e adotam medidas tópicas a fim de atrair esses mesmos capitais esquivos; nesse movimento, crenças e valores estabelecidos são ridicularizados, compromissos sociais fortemente institucionalizados são rompidos... E tudo isso se faz em nome da eficiência e da liberdade econômica – para os neoliberais, mãe de todas as outras, condição de possibilidade e princípio regulador da democracia.

Mas, quando sobrevêm dificuldades mais sérias, como acontece agora, e se generaliza a percepção de que esta economia é prenha de crise, a questão do "que fazer" se impõe, e ela não é endereçada aos agentes da economia global, aos *global players* – empresas, bancos, investidores institucionais ou megaespeculadores, como George Soros. Estes, naturalmente, têm muito a dizer e não param de opinar, mas a pergunta é dirigida a outros personagens. Nesses momentos críticos, todos os olhos e ouvidos – deles, os agentes econômicos, como de todos nós – estão voltados para os responsáveis pelas instituições de governo, e de governos nacionais, os quais estão obrigados a responder como atores de um jogo simultaneamente econômico e político que pode levar em consideração o desejável do ponto de vista global (isto é o que todos esperam, neste momento, de Alan Greenspan, o presidente do Banco Central dos Estados Unidos), mas cuja referência básica continua sendo uma definição determinada do que seja o interesse nacional nas circunstâncias vividas.

Naturalmente, a atenção não se distribui de forma homogênea. Ela se concentra, principalmente, nos governos dos Estados Unidos, do Japão e no sistema decisório desse híbrido que é a União Europeia. É dessa tríade que se esperam medidas capazes de debelar os focos de tensões e desequilíbrios mais agudos; dela deverão partir igualmente as ações de maior alcance destinadas a evitar que, no futuro, comoções como as que estamos presenciando venham a se repetir.

Nem por isso a atuação de outros Estados é desprovida de importância. Como a leitura mais atenta do noticiário permite constatar, mesmo entre os países ditos emergentes as situações variam consideravelmente, e são também muito distintas as maneiras como eles reagem à crise. E já vimos que, além de seus efeitos internos, as decisões (ou não decisões) desses Estados podem provocar verdadeiros abalos sísmicos.

Embora muito rápida, a análise precedente nos permite extrair algumas lições instrutivas:

1) Mesmo aceitando, para efeito de raciocínio, a imagem estilizada da "economia global", é forçoso reconhecer que ela é uma economia política e que seu suporte institucional básico continua sendo o sistema de Estados.
2) Ao refletir sobre as consequências políticas das transformações na economia internacional, devemos ter sempre presente que o Estado, no singular, não existe. Em todo momento, o que encontramos é uma pluralidade de Estados, desiguais e hierarquizados, que se interligam como unidades de um sistema e desempenham papéis claramente distintos.
3) Devemos registrar, por fim, que mesmo os Estados mais débeis gozam de graus variáveis de liberdade e que – dentro desses limites – respondem às circunstâncias criadas pelos dinamismos da economia internacional em função de suas experiências prévias, das orientações preponderantes em suas elites governantes, das resistências que estas encontram e dos apoios que elas conseguem mobilizar.

Esta observação me devolve ao Brasil e prepara o comentário com o qual concluo este artigo.

No exato momento em que escrevo, estamos no início de mais uma rodada de remédios amargos. Exposta a vulnerabilidade de nossa economia, às voltas com um novo ataque ao real, o governo elevou o patamar dos juros internos, prepara agora um pacote de medidas recessivas e, por meio de seus porta-vozes acreditados, faz saber que, se necessário for, tomará outras ainda mais duras.

O futuro que esses anúncios prenunciam é de estagnação, desemprego, empobrecimento generalizado. Como de outras vezes, esses efeitos serão apresentados como sacrifícios indispensáveis para resguardar a moeda das intempéries da crise econômica global.

Podemos ter juízos diferentes a respeito de tais sacrifícios, mas a impostura que os envolve precisa ser repelida: eles não são impostos por circunstâncias exteriores – mas pelas distorções da política econômica que há mais de quatro anos vem sendo adotada –; eles não são indispensáveis para evitar a inflação e assegurar a estabilidade – mas para dar sobrevida a este modelo de política econômica que mantém o valor da moeda à custa de taxas medíocres de crescimento, eliminação maciça de postos de trabalho, crescente vulnerabilidade externa e a desnacionalização acelerada da economia –; eles não são inevitáveis – existem alternativas, outras maneiras de enfrentar as dificuldades do momento e os problemas de fundo que há muito nos afligem.

Haverá certamente discordâncias a respeito do mérito dessas propostas, mas elas não podem ser desconhecidas.

4
Opções estratégicas. Sobre o papel do Brasil no sistema internacional em transição*

Em seus contornos gerais a história é bem conhecida. Tendo gravitado, desde a Independência, na órbita das grandes potências europeias – em especial, da Grã-Bretanha –, no período republicano o eixo da política externa brasileira desloca-se em direção aos Estados Unidos.

Abraçada de forma pouco consequente logo após a proclamação da República, a opção americanista ganharia significado mais amplo e profundo com o barão do Rio Branco, que estabeleceu, mediante sua ação e seu pensamento, os marcos no interior dos quais a diplomacia brasileira viria a operar durante quase sessenta anos. Fundada no reconhecimento precoce da tendência ascendente dos Estados Unidos, no concerto das grandes potências, a estratégia triangular desenhada por Rio Branco reservava à aliança informal com aquele país três papéis bem definidos: 1) servir como anel protetor, minimizando os riscos envolvidos nas relações com a França e a Inglaterra, com as quais tínhamos um passado de rusgas e pendências no presente a dirimir; 2) atender a um requisito incontornável à solução favorável e pacífica de conflitos territoriais que ainda tínhamos com países vizinhos; 3) equilibrar as relações de força no subsistema sul-americano, ao reforçar a posição do Brasil *vis-à-vis* a Argentina.[1]

---

* Meus agradecimentos a Shiguenoli Miyamoto e Tullo Vigevani, pelas indicações sempre esclarecedoras e pelo acesso que me proporcionaram a materiais que de outra forma me teriam sido de consulta dificilmente possível. Texto apresentado na II International Convention da International Political Studies Association, Hong Kong, 2001 publicado na coletânea do autor Globalização, Ordem Internacional e Democracia. Campinas/São Paulo, Editora da Unicamp/Editora da UNESP, 2004.

[1] Não há nenhuma pretensão de originalidade neste e nos demais parágrafos dedicados à reconstrução das linhas evolutivas da política externa brasileira. Ao elaborá-los, levei em

A prioridade conferida à parceria com os Estados Unidos traduziu-se não raro, como se sabe, em gestos pouco edificantes. Basta lembrar o apoio dado à pretensão norte-americana de atuar como poder de polícia no Hemisfério (o "corolário Roosevelt", de 1904); o voto contrário à Doutrina Drago, iniciativa do chanceler argentino condenando a intervenção militar de países credores para impor cumprimento de obrigações contratuais a países inadimplentes; ou, ainda, o apoio emprestado à agressão cometida contra a Colômbia, da qual resultou um país fictício – o Panamá – e a solução buscada pelos Estados Unidos para seu problema de navegação interoceânica. Mas, como transparece na atuação do Brasil na conferência de Haia, por exemplo, ela não se confundia com uma política de alinhamento automático, ou de submissão passiva aos interesses e às conveniências do mais poderoso. Na expressão original dessa estratégia, a "relação especial" com os Estados Unidos era buscada como meio adequado para preservar a integridade de um país grande e complexo, que se sabia frágil, e para lhe ampliar as margens de autonomia.

Nesse sentido, nem a ambivalência calculada que marcou em dado momento a conduta exterior do governo Vargas – a qual lhe rendeu o apoio indispensável ao reaparelhamento do Exército e os meios para a implantação da siderurgia de grande escala no Brasil –, nem o ativismo diplomático do governo JK configuram uma ruptura com o padrão anteriormente descrito. E, embora não seja este o lugar indicado para ensaiar um balanço dessa estratégia, o contraste com o resultado das opções de política exterior da nossa vizinha Argentina pode sugerir que, em muitos sentidos, ele foi positivo.[2]

Seja como for, por razões várias, a um tempo internas e internacionais, no fim dos anos 1950 multiplicavam-se sinais de que o modelo da "relação especial" caminhava para o esgotamento. Não foi preciso aguardar muito para se assistir ao reconhecimento oficial desse fato. Já em 1961, com Jânio Quadros, ele se fazia ouvir no discurso da Política Externa Independente. O governo Jânio foi meteórico, mas a reorientação operada por Afonso Arinos, seu ministro de Relações Exteriores, não expiraria com ele. Pelo contrário, seria aprofundada com San Tiago Dantas e Araújo Castro, na Presidência de João Goulart, ganhando travejamento doutrinário muito mais firme. A Política Externa Independente expressava a disposição de intervir, com dicção própria, no debate das grandes questões internacionais,

conta inúmeros estudos, dos quais relaciono a seguir, em ordem alfabética, apenas os que foram mais influentes. Arbilla (1997); Bandeira (1973); Cervo e Bueno (1992); Cervo (1998); Cruz Jr., Cavalcante e Pedone (1993); Fonseca Jr., (1998); Hirst e Pinheiro (1995); Jaguaribe (1996); Lima (1994); Mello (2000); Ricupero (2000).

[2] O paralelo entre o Brasil e a Argentina, que sob o impulso de longo ciclo de crescimento acelerado fiava-se na solidez de seus laços com a Inglaterra para disputar, na América do Sul, a hegemonia com os Estados Unidos, é um dos *leitmotivs* do revisionismo historiográfico argentino. Cf. Lewis (1998, p.49-68), Tulchin (1989), Escudé (1989) e Tella (1989).

de escapar aos alinhamentos rígidos próprios à lógica da Guerra Fria, de multiplicar vínculos diplomáticos e explorar áreas de convergência com países que partilhavam com o Brasil a condição de subdesenvolvidos. No contexto dessa política, a relação com os Estados Unidos continuava sendo decisiva. Mas agora a boa qualidade dela não aparecia mais como condição para a autonomia. Em uma clara inversão, os ganhos de autonomia passavam a ser buscados por meio de uma estratégia de vocação universalista, a melhoria na interação com a potência hegemônica passando a depender do grau de sucesso dessa política.

Abstração feita do breve interregno castellista, quando parecia voltar ao leito seguro da "relação especial", mais ou menos enfaticamente, por quase três décadas a política externa brasileira foi norteada pela opção universalista. Que teria, no "pragmatismo responsável", seu coroamento, e na denúncia do acordo de cooperação militar com os Estados Unidos, em 1977, o lance de mais forte simbolismo.

Depois de vinte anos de mando castrense, efetuava-se no Brasil, em meados dos anos 1980, a passagem a um governo civil. Ato contínuo, revogava-se muito do então chamado "entulho autoritário", liberalizava-se a legislação eleitoral e partidária, anulavam-se em grande medida os mecanismos de controle sobre a vida sindical e as atividades grevistas, em um processo de reordenamento jurídico-político que iria culminar na Constituição "Cidadã", de 1988. Mas a direção da política exterior não mudaria por isso. Contemplada na perspectiva da época, a política externa brasileira parecia obedecer a um padrão evolutivo pouco sensível aos avatares da conjuntura, pois determinado, essencialmente, por fatores situados no plano das estruturas: de um lado, a tendência de longo prazo do sistema internacional no sentido da distribuição menos desequilibrada de recursos de poder entre as grandes potências; de outro, as tendências socioeconômicas e demográficas que levaram o país agroexportador, escassamente povoado, dos tempos de Rio Branco à condição de oitava maior economia do mundo, dotada de parque industrial integrado e de uma população predominantemente urbana, com cerca de 140 milhões de habitantes. Não obstante o impacto da crise da dívida, em um mundo crescentemente multipolar, o universalismo da política externa brasileira afigurava-se como a pauta de conduta obrigada para um país que apenas momentaneamente afastara-se de sua trajetória excepcional de crescimento. Nesse período, a grande inovação no campo da política externa foi o estreitamento dos laços com a Argentina e a celebração dos atos – a Declaração de Iguaçu, em novembro de 1985; a Ata de Integração Brasileiro-Argentina, no ano seguinte, e o Tratado de Integração, Cooperação e Desenvolvimento, em novembro de 1988 – que pavimentaram o caminho para o Mercosul.

Ao findar a década de 1980, porém, a confiança expressa na avaliação antes referida estava seriamente abalada. Com o país às portas da hiperinflação e o mundo sob o estupor causado pelo *débâcle* do socialismo soviético, imperava o sentimento agudo de crise, com a busca desenfreada de "saídas" que ele desatava. Foi nesse contexto que ocorreu o giro na política externa brasileira, sob o comando de Fernando Collor de Mello. Opção pelo Primeiro Mundo, incorporação sonora dos novos temas da agenda internacional (direitos humanos, meio ambiente, narcotráfico), remoção dos focos de atrito nas relações com os Estados Unidos – em poucos meses o discurso e a prática da diplomacia brasileira estavam profundamente transformados. Marcado pelo estilo personalista do presidente, esse movimento teria sua origem fora da corporação diplomática, não de todo coerente, embora ele parecesse implicar o abandono da tradição universalista, com o retorno consequente ao velho paradigma da relação privilegiada com os Estados Unidos.

O radicalismo, contudo, não duraria muito. Já no segundo ano do governo Collor, com a nomeação de personalidade sensível aos ventos da mudança, mas profundamente identificada com a cultura do Itamaraty, começava laborioso trabalho de síntese conceitual, que se prolongaria no governo Itamar Franco, quando se constitui finalmente a matriz que, desde então, vem informando a política externa brasileira. Esse trabalho de reelaboração foi perseguido sob o mote da adaptação às novas realidades e da reafirmação de valores antigos. É assim que o reposicionamento diante de temas tão significativos quanto o da "não proliferação" – denunciado desde a década de 1960 como tentativa inaceitável de legitimar o cartel nuclear existente – combina-se com um discurso que retoma em outras bases a antiga ênfase no tema do desenvolvimento, invoca novos argumentos para pleitear reformas na organização do poder mundial e se associa a uma conduta diplomática que procura preservar/ampliar os espaços de autonomia. O regionalismo da política externa dos anos 1990 ganha plena significação nesse registro. Ainda às voltas com os problemas que vieram à tona na assim chamada "década perdida", acicatado pela acolhida dada, por inúmeros vizinhos, à ideia de livre comércio hemisférico contida na "Iniciativa Bush", o governo brasileiro acelera a criação do Mercosul, atribuindo-lhe o duplo papel estratégico de instrumentar o país para a competição acirrada que se trava na economia global e de lhe aumentar o poder de barganha nas negociações vindouras, sobre o comércio hemisférico, com os Estados Unidos.

Muitos anos depois da Cúpula de Miami, que lançou em 1994 oficialmente o projeto da Alca, há razões para acreditar que a política de inserção internacional informada por tal concepção estratégica atravessa um momento crítico. Isso se deve, antes de tudo, ao simples avanço no calendário das negociações da Alca, que entram a partir de agora em sua fase decisiva, quando as cartas serão colocadas na mesa e os compromissos em torno de questões substantivas serão assumidos. Com efeito, quando a discussão deixa o terreno dos procedimentos e passa a ter como foco pontos específicos, que afetam de maneira muito diferenciada o conjunto dos interesses sociais em cada país envolvido na negociação, as pressões, contra ou a favor desta ou daquela solução, se intensificam, tornando a tarefa da diplomacia sumamente mais complicada. Mas tudo se torna ainda mais difícil quando se leva em conta a diversidade de interesses entre os países, tal como vocalizados por seus respectivos governos. Se temos presente o movimento realizado pelo Chile, ora em negociações bilaterais com os Estados Unidos para sua incorporação ao Nafta, e se consideramos que o nosso principal parceiro no Mercosul, a Argentina, há tempos mergulhada em profunda crise, nunca ocultou o fato de que a sua grande aposta sempre foi a integração com os Estados Unidos, torna-se difícil encarar com otimismo o futuro daquela estratégia.

Este é o ponto que desejo ressaltar. Como se viu no relato precedente, desde o fim do século XIX, a relação com os Estados Unidos constituiu o dado central no desenho da política externa brasileira. Marcada, ao longo de vários anos, por litígios graves, na década de 1990 a relação entre os dois países se distende, passando a se definir em termos predominantemente cooperativos, sem que por isso tenham desaparecido entre eles todos os motivos de discórdia. As diferenças mais importantes entre eles têm como foco a pretensão norte-americana de criar um espaço econômico homogêneo no hemisfério. O Brasil reagiu negativamente à ideia quando de seu anúncio e só a contragosto viria a absorvê-la alguns anos mais tarde. De 1994 para cá, quer na discussão sobre o cronograma das negociações da Alca, quer na definição de seu formato, a atitude brasileira tem sido dilatória. Pois bem, ultrapassada a fase preliminar, seja qual for o futuro das negociações, tudo leva a crer que a política externa brasileira está na iminência de sofrer mudanças de grande envergadura.

Dado o caráter prospectivo da afirmativa que fecha o parágrafo anterior, ela será apoiada em uma conjectura, a se desenvolver ao longo de três linhas argumentativas.

A primeira delas põe em tela de juízo uma proposição factual de larga aceitação na literatura. Refiro-me à alegação segundo a qual a guinada na política externa observada nos primeiros meses do governo Collor teria sido gestada fora do Itamaraty, cujo papel se resumiria, no essencial, ao de conter os arroubos do jovem presidente e de operar como elemento de continuidade da tradição de nossa diplomacia. Reconhecendo, embora, a interveniência do estilo personalista de Collor nesse episódio, as ponderações que se seguem nos levam a encarar tal versão com ceticismo.

Para começar, ela não se coaduna bem com o que sabemos a respeito de como se dão os processos de mudança na formulação de políticas – exterior, ou outra qualquer. Sem dúvida, o personalismo era uma característica de

Collor de Mello, que o levava às raias da caricatura. Mas, ele não se fazia sentir apenas no âmbito da política exterior, era a marca registrada de seu governo. O personalismo, ademais, não era simplesmente uma projeção das disposições pessoais de Collor: nas condições de crise catastrófica que cercaram o início de seu governo, ele atendia a uma demanda difusa em amplos setores da população, aí incluídos expressivos segmentos das elites sociais e econômicas do país, que sufragaram seu nome e depositavam em sua excepcional "autonomia" – em relação a partidos, instituições representativas e círculos burocráticos – as expectativas de mudanças drásticas que habitavam os seus sonhos.[3]

O mais importante, contudo, é que o par personalismo/autonomia nada nos informa sobre a origem das iniciativas desencadeadas como gestos pessoais do líder. Dois exemplos rápidos serão o bastante para calçar essa afirmativa: a terapia de choque administrada pelo Plano Collor, e a reforma do comércio exterior, decretada no mesmo dia. Em ambos os casos, a decisão quanto ao momento e a forma de apresentação das mudanças tem o selo de Collor. Mas a concepção intelectual delas lhe é inteiramente estranha – a liberalização comercial, para me ater a esse exemplo, vinha sendo preparada na esfera da Comissão de Política Aduaneira desde 1985, quando tiveram início os estudos sobre a revisão das Tarifas Aduaneiras Brasileiras (TAB), sob a liderança de José Tavares de Araújo. Ora, se foi assim nesses dois componentes basilares do projeto governamental, por que seria diferente no campo da política exterior?

Para efeito de raciocínio, talvez seja conveniente deixar em aberto por um momento a questão da paternidade da mudança. Ficamos, portanto, com duas possibilidades: na primeira, Collor teria ideias próprias e bem definidas sobre o que fazer no campo da política externa. Além de pouco plausível à luz do conhecimento que temos da trajetória pregressa e das ações subsequentes do personagem em causa, essa hipótese é pouco compatível com essa informação, que circulou com insistência na imprensa na época: o nome preferido por Collor para o Ministério das Relações Exteriores era o de Fernando Henrique Cardoso, de quem teria esperado uma resposta positiva às sondagens que vinha fazendo até quinze dias antes da cerimônia de sua posse. Ora, não é razoável imaginar que um presidente recém-eleito, disposto a provocar por conta própria uma ruptura radical na tradição da diplomacia brasileira buscasse, para o papel de operador dessa política, alguém com a proeminência e a biografia do então senador de São Paulo. Salvo se entre eles houvesse forte afinidade, nesse particular. Mas, como sabemos, não é bem esse o caso. Cabe concluir, portanto, que a verdade está contida na segunda possibilidade: a de que o papel, afinal de

[3] Sobre a "autonomia" de Collor e suas relações com a conjuntura do fim do período Sarney, cf. Martins (1990); Grupo de Conjuntura (1990).

contas modesto, de Collor tenha sido, basicamente, o de marcar com timbre pessoal uma reorientação emanada da própria corporação diplomática.[4]

Essa hipótese, convém observar, acomoda um fato devidamente anotado na literatura sobre o período,[5] mas que pairava em estado bruto, constituindo mesmo uma aparente anomalia no quadro da interpretação consagrada: refiro-me à participação de membros do Itamaraty na equipe de governo de Collor, ocupando posições de destaque na Presidência, em vários ministérios e na comissão encarregada de negociar a dívida externa, cuja chefia foi entregue ao embaixador Jório Dauster.

Girando em torno de um detalhe, essa discussão é importante porque nos remete a um aspecto decisivo no processo de reformulação da política exterior brasileira nos anos 1990, a saber, a maneira como as mudanças nos ambientes doméstico e internacional foram processadas no interior da corporação diplomática. Esse é um assunto que ainda está para ser investigado mais sistematicamente, mas, para efeito do argumento que está sendo aqui esboçado, basta reter este fato que o contato direto, na época, com membros da casa[6] permitia constatar e que foi ventilado na imprensa: na entrada da década de 1990, a corporação diplomática brasileira estava profundamente dividida.[7]

E seria de surpreender se não estivesse. Durante quase trinta anos a diplomacia brasileira vinha sedimentando um modelo de atuação e um discurso cujo princípio regulador era a noção de autonomia, entendida como condição necessária à plena realização do projeto nacional de desenvolvimento – que, por sua vez, infundia realismo à aspiração de autonomia. No momento em que se operou a transição ao governo civil, a convergência era clara, entre as orientações que prevaleciam no corpo diplomático e as posições defendidas pelos representantes intelectuais políticos mais importantes no campo da antiga oposição. Não caberia rememorar aqui os insucessos da coalizão desenvolvimentista que se constituiu em governo, então. Limito-me a referir telegraficamente alguns episódios – o estrepitoso fracasso do Plano Cruzado, a polarização inédita em torno da Constituinte, a espiral inflacionária... – para chegar sem mais delongas ao ponto que interessa à presente discussão: em 1989 o centro político estava momentaneamente desagregado, com o país cindido em dois campos separados por forte senti-

[4] A rigor, seria preciso considerar a possibilidade de que a mudança de rumo tivesse origem em outros grupos, internos ou externos ao aparelho de Estado – a burocracia econômica, ou setores empresariais, por exemplo. Mas o distanciamento desses setores da temática da política externa, aliado às evidências contundentes do descolamento de Collor em relação a eles, torna de todo implausível essa hipótese.

[5] Cf., por exemplo, Mello (2000, p.97, nota 14).

[6] Entrevista do autor com diplomata do Itamaraty, Brasília, 21 fev. 1990.

[7] Cf. "Plano de nova política externa causa polêmica", *O Estado de S. Paulo*, 25 fev. 1990, e "Itamaraty não tem sucesso ao elaborar nova política externa". *Folha de S.Paulo*, 17 fev. 1991.

mento de antagonismo. Para ambos os lados, a questão de fundo era o papel do Estado, elemento central de qualquer estratégia de desenvolvimento. Direita e esquerda: para a primeira, a solução dos problemas nacionais estava em remover os entraves colocados pelo Estado ao funcionamento do mercado, privatizar empresas públicas, atrair capitais estrangeiros, expor o sistema produtivo à concorrência internacional; para a segunda, tratava-se de desprivatizar o Estado, romper a lógica de seu enfeudamento pelos detentores do poder político e social, a fim de colocar o Estado a serviço de um modelo de desenvolvimento calcado na desconcentração da renda e da riqueza e na afirmação do país como ator autônomo no cenário internacional.[8] Por mais insulada que ela fosse, não é razoável imaginar que a corporação diplomática ficasse imune a esse embate.

Mas essa é apenas uma parte da história. A outra envolve o corpo da diplomacia brasileira de forma mais direta e decisiva. Estou aludindo, é claro, ao contencioso com os Estados Unidos que foi levado a um ponto crítico nesse período. Mais uma vez, serei extremamente sucinto. No exato momento em que no Brasil experimentava-se uma política mais agressiva visando à ocupação de espaços no campo das tecnologias de ponta – a reserva de mercado ao produtor nacional na indústria da informática, mas com extensão possível a outros setores, como "novos materiais", ou química fina –, assistíamos a uma reorientação estratégica na política econômica internacional dos Estados Unidos, que elevava ao topo de suas prioridades a abertura de mercados e a defesa das rendas de monopólio de suas firmas naquelas indústrias. E que brandia, com esses fins, conceitos e dispositivos inscritos na nova versão de sua Lei de Comércio, que acabava de ser votada pelo Congresso (a Omnibus Trade Bill, de 1984). O choque era inevitável. E ele começou com a denúncia da Política Nacional de Informática, feita em discurso por Reagan no dia 7 de setembro de 1985, data que se diria escolhida a dedo por seu simbolismo. Na sequência, pressões em um crescendo, concessões da parte brasileira, acertos... e novos atritos sobre outras matérias, que acabariam com a adoção de medidas retaliatórias contra o Brasil por desrespeito a direitos de propriedade intelectual na área da química fina.[9]

Em 1989, final do primeiro governo da transição no Brasil, o embaixador Luiz Felipe de Seixas Correa fazia, sobre o futuro das relações Brasil–Estados Unidos, este prognóstico sombrio:

---

[8] Para uma análise circunstanciada dessa conjuntura, cf. Velasco e Cruz (1997c).

[9] O descompasso entre o processo brasileiro e o rumo tomado pela reestruturação econômica em curso no plano internacional, depois da crise dos anos 1970, é discutido em Velasco e Cruz (1997; 1999). Sobre a razão de ser e as implicações da política do Estado norte-americano no episódio, cf. Evans (1989, p.207-38). Análise definitiva dos atritos entre os dois países nessa área, vinculando-os à dinâmica interna dos conflitos empresariais, interburocráticos e políticos no Brasil encontra-se no imponente trabalho de Vigevani (1995).

> É de presumir-se que esses desentendimentos e atritos continuem. Tanto na área comercial, como na de propriedade intelectual, as políticas postas em prática pelo Brasil afetam interesses específicos dos EUA. Não parece existir margem para que estas políticas sejam alteradas substancialmente em futuro previsível, uma vez que derivam da proteção e da promoção de interesses essenciais para o modelo de desenvolvimento brasileiro. Tampouco parece possível que o Brasil venha a modificar sua política em relação a questões nucleares... Também na área de não proliferação de mísseis, os interesses americanos e brasileiros colidem, sendo improvável que o Brasil sequer contemple abandonar seu objetivo de capacitação tecnológica para efeito de lançamentos espaciais.
>
> O potencial de problemas no relacionamento bilateral parece, pois, elevado. Ao prolongar-se no tempo, tenderá a conduzir, seja a um crescente alheamento dos dois países, seja a um agravamento de tensões e, eventualmente, a uma ruptura. (Correa, 1989, p.237-38)

Nem todos, porém, compartilhavam o pessimismo – ou a determinação – do assessor para Assuntos Internacionais da Presidência da República. Para o seu colega Paulo Tarso Flecha de Lima, que estivera na linha de frente nas conversações com os negociadores norte-americanos, em sua condição de secretário-geral do MRE, as lições a tirar desse e de outros diferendos eram bem distintas. Tome-se, a título de exemplo, o texto da conferência realizada em 1988 e publicada sob o título significativo de "Modernização e Obstáculos para a Internacionalização da Economia Brasileira". Aqui, a despeito de sua brevidade, e em que pese a reiteração de alguns dos lugares comuns do discurso diplomático brasileiro naquela altura, são nítidos os sinais que apontam na direção de um sensível reposicionamento. Como na passagem citada a seguir:

> Mas o que acho necessário sublinhar diante dos Senhores [...] é que as posições brasileiras na "Rodada Uruguai" deverão superar as atitudes marcadamente defensivas que visavam sobretudo a obter tratamento unilateral em favor dos países do Terceiro Mundo.
>
> No exercício em curso pretendemos adotar atitude mais ativa e uma postura negociadora, com olhos no futuro. Isto significa, em termos claros, intercambiar medidas de liberalização em nosso país por medidas análogas em outros, com o objetivo de extrair benefícios palpáveis.
>
> A modernização de nossa economia é certamente o caminho para uma inserção construtiva e moderna do Brasil na economia internacional. É também o corolário natural da sociedade democrática que desejamos consolidar e na qual não seria possível conciliar a hipertrofia do Estado com a desejável liberdade de ação e de iniciativa. (Lima, 1988/2, p.103-6)

O secretário-geral do MRE discorria, perante um público seleto de empresários, sobre os aspectos de sua alçada na tímida reforma tarifária anunciada em maio de 1988 pelo governo a que pertencia. Sua condição oficial e o objetivo da locução não permitiam desenvolvimentos maiores. Meses depois, já despido do cargo, em conferência pronunciada na Faculdade de Direito da UFMG, em 5 de março de 1990, ele faria uma apresentação incomparavelmente mais ampla de seu pensamento (Lima, 1990, p.16). O que primeiro chama a atenção no texto de Flecha de Lima é a ênfase que ele atribui aos novos temas da agenda internacional – meio ambiente, direitos humanos, terrorismo, drogas – e sua aguda sensibilidade em relação a tendências da opinião pública nos países ricos, que se traduzem em pretensões atentatórias à soberania dos mais fracos: o dever de ingerência, invocado com insistência pelo governo Mitterrand, por exemplo, a defesa que se chegou a se fazer em público da gestão internacional da Amazônia. O embaixador aponta o que há de ameaçador em tais fatos e denuncia o muito de falso que existe nessas invocações recorrentes à "consciência ética do Ocidente" (as aspas são do autor), forma rediviva do "paternalismo civilizatório" que outrora se expressava na tese do *white man's burden* tão cara ao europeu colonizador.

Mas, ao mesmo tempo, adverte contra reações meramente defensivas:

> [...] está superada a retórica agressiva com que também o governo brasileiro revidava no passado às investidas das correntes ambientalistas estrangeiras e que consistia essencialmente em brandir o princípio da soberania. O mundo de hoje já não comporta posturas de isolamento. (Lima, 1990, p.16)

Também em relação ao tema do desarmamento Flecha de Lima antecipa tempos difíceis, com pressões acrescidas por parte dos Estados Unidos e agora também da União Soviética, no sentido de controlar a cooperação e o comércio de bens, tecnologia e produtos de uso dito dual (pacífico e bélico). Nesse particular, ele continua a sustentar as posições tradicionais da diplomacia brasileira, defendendo a rejeição do TNP e de "ideologia discriminatória" da não proliferação.

A parte mais extensa do texto é a dedicada, como seria de esperar, aos temas econômicos. Podemos caracterizar a atitude geral do autor acompanhando a maneira como ele trata a questão da propriedade intelectual, que estivera no centro do contencioso Brasil–Estados Unidos e em torno da qual se travavam algumas das principais batalhas da Rodada Uruguai do Gatt, cujo encerramento estava previsto para o fim daquele ano. Depois de expor os argumentos que o Brasil, junto com a Índia, vinha sustentando desde o início na mesa de negociações, Flecha de Lima formula este comentário revelador:

> As opções não são simples. Em primeiro lugar, porque nesta como noutras áreas de negociação, o Brasil não pode entregar-se ao exercício estéril da obstrução. Se

o tentar, acabará simplesmente ignorado e confrontado mais tarde com regras que serão elaboradas à sua revelia. Se desrespeitar essas regras, ficará – o que é pior – à margem dos fluxos mundiais de comércio e investimento. Impõe-se, portanto, participar altivamente [...]

Um pouco adiante, uma observação que põe em maior evidência o sentido geral do argumento:

> Sintonizado com o seu tempo, o Brasil pode mesmo ostentar legislação específica para proteção do software, o que demonstra sua repulsa a práticas de "pirataria"... Temos consciência da importância crucial, para o desenvolvimento do país, de um constante aprimoramento das regras em que se assenta esse direito. Até mesmo porque, caso deixemos de criar e aplicar internamente com eficácia, uma legislação compatível com nossa época, assistiremos fatalmente a um gradual "desinvestimento" de empresas estrangeiras no Brasil, a pretexto de inadequada proteção patentária. Cumpre, portanto, participar dessa discussão [...] (Lima, 1990, p.27).

Ora, a legislação protetora do software fora arrancada ao governo brasileiro por intensa pressão das autoridades comerciais americanas, que exigiam a proteção por meio de copyright, mais longa e muito mais rígida do que a contida nas propostas feitas pelo lado brasileiro. E mesmo assim foi objeto de processo movido pela Microsoft que reclamava contra a produção de sucedâneos do MS-DOS apoiado nas ameaças de sanções comerciais brandidas pelo governo dos Estados Unidos.[10] Apresentá-la como um trunfo, evidência da atitude "correta" do Brasil, era muito mais do que manejar um argumento pífio. Com ele e o seu complemento, o embaixador Flecha de Lima estava a sinalizar um caminho que levava em direção contrária àquela pressuposta na avaliação de seu colega antes referida.

À luz desses elementos, podemos voltar à questão do papel de Collor. O Itamaraty não esteve à margem, nem foi obrigado a absorver uma linha de atuação vinda de fora. Além de emprestar a essa mudança de curso a contribuição duvidosa de seu estilo próprio, o que Collor fez – e nesse ponto ele foi importante, tanto na política exterior quanto no capítulo das reformas econômicas – foi intervir no campo fortemente polarizado da diplomacia, consagrando a vitória do lado que advogava políticas compatíveis com o discurso já predominante nas elites brasileiras e com a tônica geral de seu programa de governo.

* * *

[10] Para um estudo circunstanciado sobre esse tópico das negociações, cf. Vigevani (1995), especialmente caps. XV, XVII e XVIII.

A segunda linha de argumentação põe em foco aspecto central no debate que então se travava. Refiro-me à maneira como seus participantes caracterizam o sistema internacional, e como avaliam as tendências, sempre contraditórias, que apontam para sua mudança. Esse é um elemento-chave na inteligência do processo de formulação da política exterior, em geral, e tem clara correspondência com um componente crítico – o referencial normativo global – na formulação de qualquer outra política.[11] Podemos perceber facilmente a importância decisiva desse momento na definição das grandes opções de política exterior se atentamos para a intensidade e as implicações do debate estratégico que vem se desenvolvendo nos Estados Unidos desde o fim da Guerra Fria. Lá, como aqui, a discussão gira em torno das seguintes perguntas: para onde caminha o sistema internacional? Qual a sua configuração futura provável? Prevalecerão os fatores que o empurram em direção a um sistema de equilíbrio de poder, ou, inversamente, aqueles que respondem, no presente, pela singularidade histórica dos Estados Unidos como única e inconteste superpotência? Dada a estrutura do processo de formulação da política exterior nesse país, o debate se dá de forma explícita, descentralizada e pública, sendo desnecessário grande esforço para identificar seus contornos e a posição assumida pelos interlocutores mais importantes.[12] Entre nós, ele tende a ser intersticial, centralizado e defeso ao olhar dos não incluídos. Apesar disso, uma inspeção atenta revela diferenças notáveis, a esse respeito, na controvérsia brasileira sobre a política externa.

Tome-se, por exemplo, a intervenção do embaixador Paulo Nogueira Batista em um dos seminários da série promovida pela Subsecretaria-Geral de Planejamento Político e Econômico do MRE, entre 1992 e 1993, quando estava no auge o processo de reformulação conceitual aludido na primeira parte deste artigo (Ministério das Relações Exteriores, 1993, p.304-11). Ou então, para mencionar fonte de mais fácil acesso, também do ex-embaixador do Brasil na ONU, o artigo-manifesto "A política externa de Collor: modernização ou retrocesso?", publicado na revista *Política Externa* (1993, p.106-35).

Nesse texto, o ponto de partida é a questão essencial relativa à avaliação que se faz das possibilidades de país no curto e no longo prazo.

> Conforma-se o Brasil [...] com o status de "potência média", a forma eufemística para designar o que, de fato, seria um projeto de "Brasil pequeno" com que muitos parecem se contentar? Ou está o país disposto a se empenhar pela realização de um projeto maior, de mobilização de todo o seu imenso potencial, transformando-se,

[11] Essa afirmativa generaliza resultados expostos em Velasco e Cruz (1997b) primeiro capítulo.

[12] A esse respeito, cf. Posen; Ross. (1996/97); Gholz; Press, Sapolsky (1997, p. 3-48); Mastanduno (1997, p.49-88); Halliday; Rosenberg (1998, p. 371-86) e Waltz (2000). Para reflexões sobre esse debate a partir de perspectivas externas a ele, cf Vaïsse (1999) e Guimarães (2000, p.9-63).

consequentemente, naturalmente, numa das mais importantes potências econômicas do planeta?

Que riscos econômicos e políticos podemos correr, em qualquer dos casos, no processo de aumento de nossa inserção na economia mundial? Que responsabilidades políticas, e até militares, estaremos dispostos a assumir [...]? (Lima, 1990, p.107).

Pela retórica em que é vazada a pergunta é fácil imaginar a resposta do autor. Nela estava implícita uma concepção, certa ou errada, dos processos econômicos e políticos internos e da maneira como eles condicionavam aquelas possibilidades. Mas o que nos interessa agora é a outra face da moeda. E em relação a esta, o embaixador não dá margem a dúvida:

> Convicto de que o mundo estava emergindo, automaticamente, da bipolaridade Leste-Oeste para a unipolaridade norte-americana, Collor não soube entender aquilo que estava escrito no muro em letras garrafais, a saber, que os Estados Unidos, embora hajam saído da guerra fria como a única superpotência militar, já não são mais a única superpotência econômica; não se acham, por conseguinte, em condições de impor e garantir, sozinhos, uma "nova ordem mundial". Além disso, não soube o ex-presidente compreender que os Estados Unidos já não podem mais se permitir a generosidade com que exerceram sua hegemonia no mundo ocidental, na política vitoriosa de contenção do comunismo e da União Soviética [...]
>
> Collor veria as relações mundiais de poder emergentes do fim da guerra fria como congeladas, insuscetíveis de se modificarem no curto e no longo prazos, uma nova Pax Americana que se estenderia imperturbável pelo próximo século. Nesse cenário, o Brasil, resignado a uma industrialização de segunda classe, se contentaria com um status de potência média, de sócio menor na prosperidade contínua e sem limites do Primeiro Mundo (Lima, 1990, p.112, 118).

Em sua visão, como se percebe, o sistema internacional no pós-Guerra Fria se mantém em estado relativamente fluido; os Estados Unidos não são mais tão fortes, não tendo nem as razões, nem os meios que lhe justificaram, no passado, gestos de generosidade; essa situação cria para um país como o Brasil riscos e oportunidades: risco de se fiar em uma relação de "amizade" na qual está fadado a se machucar; oportunidade de perseguir seus próprios objetivos e os interesses mais fundos de seu povo sem o temor de ser reduzido à nulidade pela ação do *hegemon*, ou da comunidade que ele forma com seus pares.

O contraste com a avaliação consagrada no "recentramento" operado no discurso diplomático no primeiro lustro da década passada é nítido. Em relação a esta, o material disponível é abundante, uma vez que, de alguma forma, mais ou menos fragmentariamente, tal avaliação aparece com frequência em pronunciamentos oficiais dos responsáveis pela condução da política exterior no período. Para contornar problemas de método que a heterogeneidade do material pudesse causar, e por simples questão de comodidade, procederei ao exame que se segue com base em ensaio escrito pelo embaixador Gelson Fonseca Jr. (1999) – certamente um dos formuladores mais reflexivos e intelectualmente mais equipados de sua geração –, cujos pontos de vista expressam com alta fidelidade o pensamento dominante na instituição.

Vale a pena esclarecer que não se tratará aqui de sintetizar um argumento longo e complexo, nem de ajuizá-lo do ponto de vista intelectual, por critérios de coerência interna, adequação ao objeto, ou pela originalidade de sua contribuição. O móvel que orienta esse exercício é eminentemente tipológico. Daí a liberdade que tomarei, ao buscar no artigo apenas os elementos necessários para a pretendida caracterização.

"Anotações sobre as condições do sistema internacional no limiar do século XXI". A reflexão começa em clave realista, formulando de saída as perguntas canônicas: "De que maneira se dá a distribuição global de poder no sistema internacional nos dias de hoje? Como a distribuição de poder afeta opções de política externa brasileira?" Mas logo se afasta dos caminhos usualmente trilhados ao discorrer sobre as maneiras como a combinação da lógica do equilíbrio de poder entre os Estados com a lógica da economia globalizada torna difícil resolver os três problemas realistas clássicos, que no tempo da Guerra Fria estavam claros: "Quais são os polos de poder, como interagem e em que direção caminha o sistema". Parte do interesse do artigo reside na discussão desse ponto, que aliás já fora objeto de ensaio escrito pelo autor em parceria com Celso Lafer.[13] Sobre esse tópico, porém, limito-me a observar que o sistema internacional, no entender de Fonseca Júnior, apresenta-se sob figura análoga à configuração do poder na política doméstica descrita pelos teóricos do pluralismo: agenda fragmentada; recursos variados e com peso distinto segundo a arena; alinhamentos cruzados e móveis, ameaças difusas. Chamando a atenção para os novos padrões de legitimidade e para sua relevância acrescida no contexto presente, o autor introduz de forma algo brusca o ponto que nos interessa ao responder à pergunta sobre como se articulam as relações internas entre os polos do poder mundial com a seguinte afirmativa:

> É discutível a hipótese de que o unipolarismo se converta necessariamente em multipolarismo. A possibilidade de que o unipolarismo seja um instrumento de agregação de interesse, gerando um processo de aproximação entre as potências não deve ser descartada. (Fonseca Jr., 1994)

A partir daí – com certa hesitação, que se expressa no texto pela passagem aparentemente não regulada do condicional ao modo indicativo – o

[13] "Questões para a diplomacia no contexto internacional das polaridades indefinidas" (Notas analíticas e algumas sugestões). In: Fonseca Jr.; Castro, 1994.

autor passa a caracterizar o sistema de concerto, organizado em torno do polo (isto é, os Estados Unidos), que "atuaria, com base em *soft power*, como líder...". Dela convém reter a passagem que se segue:

> Nos dias de hoje, o cerne das preocupações do concerto ainda é a prevenção da guerra. Porém, seus objetivos são mais amplos. Um discurso razoavelmente homogêneo sobre o que é legítimo, sustentado na defesa da democracia, dos direitos humanos, do livre mercado, da segurança coletiva, do desenvolvimento sustentável, é o primeiro [...] sinal do concerto. Em seguida, desenha-se a tendência a que se formem regimes com base nesses valores e o melhor exemplo é o que ocorre na área do comércio internacional [...]. (Fonseca Jr., 1999, p.46)

O texto menciona duas variantes possíveis de concerto: "fechado", como na Europa do Congresso de Viena, que tende a posições conservadoras, e o que se deseja venha ser o atual, um concerto "aberto", "na medida em que resolvesse um dos problemas cruciais do sistema internacional, o de articular mecanismos que absorvam reivindicações universais" (p.47-8). E faz referência à combinação do sistema de concerto com outro "em que o multipolarismo seria mais evidente, em que as perspectivas de poder das potências elegíveis se manifestaria mais claramente" (p.48). Mas não tira maiores consequências dessa observação. Ao fazer o balanço dos sete anos transcorridos desde o artigo de Rosencrance, autor da sugestão de pensar o sistema do pós-Guerra Fria com base na noção de concerto, sua conclusão é reveladora – de certezas e dúvidas:

> Passados sete anos da reflexão de Rosencrance a conclusão possível a tirar é que não terá havido nenhuma ameaça frontal ao concerto. A hegemonia coletiva não se aprofundou significativamente. [...] As ameaças a que o concerto persistisse nasceram de momentos unilaterais dos próprios EUA, mas que foram "absorvidas" pelos interesses maiores inclusive dos próprios EUA – de manter o concerto (caso das sanções ao Iraque) ou, mais realisticamente, porque não houve condições de contraposição efetiva ao que os EUA propunham [...]
>
> Em suma, [...] temos um unipolarismo mitigado, que tenderia a se converter em concerto, e, de outro lado, um multipolarismo que, na medida em que se consolidasse, poderia enriquecer a dinâmica do concerto, mas sem necessariamente destruí-lo. (Fonseca Jr., 1999, p.49)

Não é preciso salientar quanto essa concepção – em sua insistência nos elementos localizados de indeterminação, no reconhecimento e no prognóstico que faz do concerto, sob estrita liderança dos Estados Unidos – nos informa a respeito da conduta da política externa brasileira. A título de conclusão parcial, o que restaria a fazer nesta seção é insistir na discrepância entre as representações do sistema internacional aqui esboçadas, agregando que, embora parcialmente silenciadas, nos dias que correm tais diferenças persistem.

* * *

O comentário anterior me remete à terceira e última das linhas em que se desdobra o argumento esboçado neste artigo, que estará centrada na tendência à ampliação do conflito em torno das questões de política externa. O fato de estar escrevendo na mesma semana em que se realiza a III Cúpula das Américas, em Quebec, me dispensa de apresentar as indicações de que algo nesse sentido está ocorrendo agora. Os fatos estão aí, aos olhos de todos: o espaço inédito na imprensa, a multiplicação de grupos que se manifestam – contra, a favor, ou condicionalmente em relação à Alca – a própria intensidade das divergências já expressas, que levaram à promulgação de regra disciplinar preventiva no âmbito do MRE e, ainda há pouco, a adoção de medida punitiva contra um membro de escol da corporação diplomática, exonerado do cargo que exercia. O problema é a extrapolação que se faz quando se tomam tais fatos como indicativos de uma tendência. Essa a afirmativa que cabe justificar.

O primeiro passo é constatar que a referida politização não constitui exatamente uma novidade. Com efeito, há anos, observadores qualificados do processo da política exterior no Brasil vêm chamando a atenção para ocorrências que apontam nessa direção e refletindo sobre os fatores que, em diferentes conjunturas, deram origem a elas (Hirst, 1995; Lima; Hirst, p.43-64). Maria Regina S. de Lima retomou o tema, abordando-o em plano mais elevado de abstração. Em linhas gerais, levando em conta determinantes institucionais – no caso, a natureza do regime político – o argumento faz depender a maior ou menor vinculação da política externa à dinâmica da política doméstica da natureza das questões envolvidas na agenda externa. Em suas palavras:

> [...] a politização da política externa [...] depende da existência de impactos distributivos internos que ocorrem quando os resultados da ação externa deixam de ser simétricos para os diversos segmentos sociais. Quando, ao contrário, os custos e benefícios não se concentram em setores específicos, ou os resultados da ação externa são neutros do ponto de vista do conflito distributivo interno, a política externa produz bens coletivos, aproximando-se do seu papel clássico, de defesa do interesse nacional ou do bem-estar da coletividade.

E, logo a seguir, as ilustrações que dão substância concreta ao esquema esboçado.

> A integridade territorial e política da nação pode ser concebida como bem coletivo, na melhor tradição realista [...] Contrariamente, os resultados de negociações

> comerciais em arenas multilaterais [...] são claramente diferenciados em termos de ganhos e perdas para distintos grupos econômicos, configurando-se a diplomacia comercial como questão distributiva. Da mesma forma, a política de integração regional, em um contexto de regionalismo aberto. (Lima, 2000, p.289-90)

Em sua elegância, o argumento é convincente. Acredito, porém, que ele recobre apenas parcialmente o fenômeno em causa. Ao fazer esta observação tenho em mente, sobretudo, a questão da integração em escala hemisférica. O impacto distributivo de tal decisão será certamente enorme, e os estudos já se multiplicam na tentativa de aferi-lo desagregadamente. Há setores que se consideram ganhadores futuros certos e se posicionam favoravelmente diante da questão desde já, em consequência – parece ser este o caso da indústria têxtil e de calçados, por exemplo; outros já se sabem marcados para perder, ou perecer, e lutam seja para evitar esse desfecho, seja para adiar indefinidamente o momento de sua efetivação – os produtores de bens de capitais estão nesta categoria. O problema – que é dos atores, antes de ser de qualquer esquema explicativo – surge da amplitude e da complexidade das matérias em negociação, bem como da incerteza essencial que cerca os seus efeitos – na hipótese de que elas sejam levadas a bom termo. Mesmo se adstritos ao impacto de negociações comerciais, os estudos econométricos embutem necessariamente hipóteses inverificáveis sobre aspectos da realidade que são tratados como parâmetros. Mas as negociações não se prendem a questões de comércio. Com base em que modelo formular projeções sobre o efeito combinado das mudanças institucionais na área de tarifas, subsídios, compras governamentais, serviços, propriedade intelectual, mecanismos de solução de controvérsia, entre outros? E como lidar, no cálculo racional de interesses, com o fato de que as negociações da Alca visam ao estabelecimento de relações especiais entre atores com enorme diferencial de poder, nada garantindo a parte mais fraca contra o fenômeno que os teóricos dos custos de transação estudam sob a rubrica do "oportunismo"? Como incluir nesse cálculo a disposição de órgãos do Estado americano – a USTR, ou a própria presidência – de intervir, politicamente, para garantir resultado favorável a empresas sediadas em seu território, em casos de concorrências públicas, ou em processos decisórios internos sobre padrões tecnológicos, em outro país – como se deu no caso do Sivam e parece estar se dando agora no tocante à tecnologia da TV de alta definição (Leite, 2001).

Alguns exemplos, apenas, que servem para realçar este fato incontornável: processos como o que estamos considerando incorporam elementos irredutíveis de incerteza.

Seria possível seguir nesse veio, mas prefiro apressar o enunciado desta proposição: quando levados a decidir em condições de elevada incerteza, os agentes – individuais e coletivos – valem-se de convenções, normas institucionalizadas, ou retraduzem o problema que se lhes oferece para um plano em que o que conta não é o cálculo, de resto impossível, de interesses, mas a adequação a valores compartilhados, a afirmação/constituição de identidades coletivas.

No caso do debate sobre a Alca, todos esses elementos estão presentes. Se isso é verdade – e se as considerações expendidas até aqui forem pertinentes – estamos na iminência de assistir não apenas a uma ampliação do debate sobre questões de política externa, mas a uma mudança sensível nos seus termos.

* * *

Combinados, esses três desenvolvimentos dão o suporte buscado à proposição em causa e lhe expandem o significado. Pelo alcance, pela percepção generalizada de suas vastas consequências no longo prazo, pela incerteza essencial que o envolve, pela maneira como questiona tradições e valores arraigados, pela coincidência temporal entre a fase crítica das negociações e o calendário eleitoral no país, por tudo isso o tema da Alca tende a entrar com força na agenda e a se constituir como divisor de águas no cenário da política brasileira. Tudo leva a crer que teremos um diálogo de surdos. Os que olham com simpatia a Alca – ou a ela se resignam – falam dela como uma negociação comercial; seus oponentes a veem como aspecto mais saliente de um processo no qual o que está em causa é o projeto do Brasil como Nação. A comunicação torna-se impossível, porque os interlocutores estão falando de coisas diferentes.

É impossível antecipar qual será o resultado desse embate, que já está sendo travado, até mesmo porque ele não depende apenas do que se passe na arena interna, fortemente condicionado que será pelo andamento das negociações, vale dizer, em última instância, pelo que vier a resultar dos conflitos sobre a Alca no sistema político norte-americano.

Seja como for, depois desse episódio o processo da política exterior no Brasil não será o mesmo. O ingresso de novos atores no debate da política externa brasileira não é um fenômeno de conjuntura. Além dos elementos já avançados – e do efeito de aprendizado que eles implicam – atuam na mesma direção o interesse e a competência cognitiva ampliados que a própria internacionalização acentuada da economia induz.

Envolvimento maior do público e dos órgãos de representação política no processo de decisão da política externa. Não há o que lamentar nesse fato. Corolário da democracia, que desejamos cultivar, ele representa um valioso ativo, quando – na melhor tradição dessa mesma política – pensamos a inserção do Brasil no sistema internacional com base no princípio da autonomia.

5
O Partido Americano, o Brasil e a guerra*

Numa coisa o Partido Americano está certo: o Brasil não poderá ficar neutro nessa crise. Não importa o rumo que venham a tomar os acontecimentos: com ou sem guerra, com uma vitória rápida e relativamente incruenta, ou, pelo contrário, com a derrota final do inimigo apenas depois de luta feroz, em cenário de terra arrasada, sejam quais forem os desdobramentos do drama os campos se definiram, o divórcio foi declarado.

Pela decisão de França, Alemanha, Rússia e China de rejeitar a pretensão dos Estados Unidos de agir nessa parte ultrassensível do mundo a seu talante, impondo sua vontade pela força das armas – a despeito do que possa vir a resolver a ONU e não obstante a vontade expressa da maioria esmagadora da opinião pública internacional.

Vencido o episódio iraquiano, o tempo será de curar feridas, compor interesses, refazer os entendimentos mínimos necessários para lidar produtivamente com problemas compartilhados. Mas as consequências do desencontro presente ainda serão sentidas por muito tempo. Seja qual for o desfecho da crise, o desafio à superpotência hegemônica foi feito, e nada indica que ele venha a ser rapidamente retirado.

Em tais circunstâncias o Brasil, por seu peso específico e pela sua projeção no cenário internacional, não pode se furtar à pergunta: que posição assumir nesse transe? De que lado ficar?

Os representantes do Partido Americano têm razão em insistir nesse ponto. E é um mérito seu dar a ela uma resposta exata: o Brasil deve manter-se fiel à sua tradição diplomática, fazendo o possível para que a solução da crise preserve a paz. Mas se acontecer o que hoje parece inevitável – vale dizer,

* Artigo inédito escrito em princípios de março de 2003.

a invasão do Iraque sem o aval da ONU – a conduta do Brasil será ditada por seus interesses estratégicos. E o veredicto deles é claro: o Brasil deve manifestar inequivocamente seu apoio aos Estados Unidos e seus aliados.

Convém esclarecer desde já: os membros do Partido Americano não se organizam hierarquicamente, não mantêm vínculos definidos e permanentes entre si, não agem de forma concertada. Em suma, não constituem um partido na acepção corrente do termo. No entanto, compartilham uma convicção, que os incita a agir e assegura à sua intervenção um grau razoável de unidade. Podemos resumi-la em uma frase: "o Brasil não pode ficar contra os Estados Unidos". Para eles, essa crença tem a força de um imperativo categórico.

Assim definido, o Partido Americano não é um fenômeno recente, e muito menos nacional. No passado, o que lhe servia de liga era a ameaça, real ou imaginária, de agressão comunista e o papel dos Estados Unidos como organizador e dirigente inconteste do Bloco Ocidental. Com o fim da Guerra Fria, o que o mantém unido é a percepção do poder incontrastável da hiperpotência, aliada à certeza de que a condição historicamente ímpar de que esta desfruta será a marca do novo século.

Se for verdadeiramente assim, os defensores do Partido Americano estarão certos em seu silogismo prático. Obrigado a abrir caminho para a solução de seus imensos problemas econômicos e sociais em um mundo travejado por relações de poder, na ausência de um sistema eficaz de freios e contrapesos, a única coisa que resta ao Brasil – e a todos os demais países, aliás – é gravitar na órbita da potência hegemônica, como os planetas que giram em torno do Sol. E estaria realizado, então, o sonho dos estrategistas da direita americana, que veem seu país como a sede de um futuro império mundial.

Mas, lá, como aqui, a aludida predição mistura elementos objetivos e manifestações de vontade. Não fora assim seria impossível entender a realidade palmar de que a disposição manifesta do governo norte-americano venha sendo obstada pela resistência de tantos – ou será que a antevisão é um apanágio dessas mentes iluminadas?

O fato é que a projeção tida por certa pelos fautores do Partido Americano é denegada, em palavras e atos, por muitos em todos os cantos do mundo e também entre nós. Não é por acaso que a política externa do governo Lula privilegia o fortalecimento de relações com grandes países da semiperiferia e se alia aos esforços da França em prol de um mundo multipolar.

A adesão ao Partido Americano não expressa necessariamente identificação valorativa ou cultural. Ela se funda em um cálculo, em que a expectativa de ganhos – pessoais ou coletivos – conta menos do que o temor das perdas advindas de opções erradas.

Medo. Nada de condenável nesse sentimento. O medo é uma reação adaptativa, na ausência da qual não teria havido a evolução da espécie.

Mas o medo não opera isoladamente. No ano passado, vivemos no Brasil um momento de perigo. Naquela ocasião a esperança venceu o medo. Agora também, o medo será batido pela união da inteligência e da vontade. De forma serena, mas firme, nosso presidente Lula dirá, com respaldo de toda a sociedade brasileira: NÃO À GUERRA!

Março de 2003

6
MUDANDO DE RUMO: A POLÍTICA EXTERNA DO GOVERNO LULA*

Escrito com Ana Maria Stuart

O primeiro indício de mudança na política externa surgiu antes mesmo da constituição do novo governo. Em meados de dezembro de 2002, os jornais brasileiros veiculavam a informação insólita: emissário pessoal de Lula encontra-se em Caracas com o presidente Hugo Chávez, a quem expressa a viva preocupação do presidente eleito com os rumos da crise política que sacudia o país vizinho e seu empenho em contribuir, na medida do possível, para que fosse encontrada uma solução pacífica para ela. Tendo conversado também com outros membros do governo venezuelano, em sua rápida visita o emissário brasileiro encontrou-se, ainda, com o secretário-geral da OEA, o ex-presidente colombiano César Gavíria e com figuras expressivas da oposição. Os desdobramentos dessa iniciativa são conhecidos: a notícia de que a Petrobras enviaria um navio-tanque à Venezuela para atenuar os efeitos do desabastecimento de gasolina que paralisava sua economia naquele momento; a reação irada de setores radicalizados da oposição, que passaram a denunciar a ingerência indébita nos assuntos internos do país; pouco depois, a proposta de criação de um Grupo de Amigos da Venezuela para auxiliar na mediação do conflito, e a manifestação inicial contrafeita do governo norte-americano, que acabou por encampar a ideia, passando a integrar o grupo, juntamente com o Brasil, o Chile, o México, Portugal e a Espanha.

Estranha nesse episódio não era apenas a disposição corajosa (alguns diriam temerária) de envolver-se em um conflito de tal intensidade, ciente

* Texto escrito em meados de 2003, publicado com o título "Cambiando el rumbo: la política exterior del gobierno de Lula". In: CHACHO, Carlos (comp.). La Argentina de Kirchner y el Brasil de Lula. Buenos Aires: CEPES/Cedec/Prometeo Libros, 2003, p.117-32.

de que ao fazê-lo frustrava as expectativas dos grupos favorecidos pela ostensiva simpatia do governo dos Estados Unidos. Sob certo aspecto, mais estranho ainda era agir no plano internacional dessa forma, por meio de um ator pouco convencional: não um diplomata, não um homem de negócios, mas um dirigente partidário, intelectual com longo passado de militância na esquerda.

Duplo sinal, pois. Que logo seria confirmado por outros, marcados igualmente por forte simbolismo. Como a nomeação para o segundo cargo mais importante no Ministério das Relações Exteriores de um embaixador afastado de suas funções no governo passado pelas reiteradas declarações públicas contra a Alca. Ou como a decisão de atribuir a embaixada do Brasil em Londres ao ex-diretor-geral da Organização para a Proibição de Armas Químicas (Opaq), embaixador José Maurício Bustani, definido como *persona non grata* pelo governo de Fernando Henrique Cardoso em virtude dos constrangimentos criados por sua intransigência diante das pressões do governo norte-americano para que fosse removido do comando daquele organismo.

Mas o que deixava patente para o público interno e externo o fato de que algo de novo estava a se desenhar na política externa brasileira eram as palavras e os gestos do presidente Lula. Convém relembrar: a escolha nada casual da Argentina como primeiro país a visitar depois da consagração de sua vitória nas urnas; a ênfase posta, nos pronunciamentos que fez nessa e em ocasiões subsequentes, no imperativo da integração sul-americana e na reconstrução do Mercosul; o discurso eletrizante que fez no Fórum Social Mundial, em Porto Alegre; e o papel que desempenhou, nos dias seguintes, no Fórum Econômico Mundial, em Davos, ao falar, com a autoridade de seu mandato e de sua história de vida, do problema da fome no auditório dos ricos.

Significativos em si mesmos, o sentido geral desses atos esclarecia-se nas exposições feitas, desde o período de transição de governos, pelos formuladores daquela política, com destaque para o ministro das Relações Exteriores, embaixador Celso Amorim, e o assessor especial de Relações Internacionais da Presidência da República, Marco Aurélio Garcia, que foi visto em ação na abertura deste capítulo. Como didaticamente explicavam, a novidade na política externa do governo Lula não consistia na eleição de objetivos explícitos radicalmente distintos dos que prevaleciam até então. No plano do discurso, pareceria haver continuidade sensível entre os dois governos; mas tal aparência não deveria alimentar equívocos: a prática diplomática seria completamente diversa. Ela acentuaria algumas mudanças já esboçadas timidamente no fim do governo passado, como a atribuição de papel privilegiado à América do Sul no traçado da estratégia de inserção internacional do Brasil, e traria para o topo da agenda algumas prioridades novas, como o fortalecimento político-institucional do Mercosul e a criação de mecanismos financeiros hábeis para a implementação das políticas de integração regional – nesse sentido, a menção, que aparece em entrevista do futuro assessor especial da Presidência da República, a uma "espécie de Banco Nacional de Desenvolvimento Econômico e Social para o Mercosul" merece destaque ("PT avisa que vai mudar rumo da diplomacia", 2002). Mas as diferenças fundamentais não estariam aí: elas seriam expressas pela nova ênfase nos aspectos estritamente políticos da conduta diplomática, pela defesa mais incisiva dos interesses nacionais nos fóruns multilaterais e pela disposição de traduzir em atos as intenções proclamadas no discurso da diplomacia.

Curiosamente, no entender de alguns, a relação entre as posições dos dois governos no âmbito da política externa seria exatamente inversa ao que se expôs até aqui: diferenças no discurso da política; identidade nas práticas. Nas palavras de um observador qualificado,

> atendidas algumas ênfases conceituais e a defesa afirmada da soberania nacional, a política externa do governo que inicia seu termo em janeiro de 2003 não destoará, substancialmente, da diplomacia conduzida de maneira bastante profissional pelo Itamaraty no período recente, conformando, aliás, uma concordância de princípio com a tradicional 'diplomacia do desenvolvimento' impulsionada pelo Brasil desde longos anos. (Almeida, 2002)

Conclusão a que chegava depois de assinalar a evolução programática que levaria à aceitação dos termos do acordo celebrado com o FMI durante o processo eleitoral, ao compromisso de respeitar os acordos internacionais firmados pelo país no passado (como os acordos de não proliferação de armas nucleares e químicas, o Protocolo de Quioto e o Tribunal Penal Internacional) e à defesa de uma "negociação soberana diante da proposta da Alca", em vez de seu repúdio, puro e simples, como um projeto de anexação econômica mal disfarçado.

Cabe então indagar: continuidade ou mudança? Não há como responder de forma expedita a esta pergunta, pois – como na vida – em política esses elementos não se contrapõem. A ação política jamais é igual a si mesma, visto que se exerce sobre um mundo em constante variação. Sendo assim, como interpretar as diferenças observadas? Mera adaptação às novas circunstâncias ou genuína reorientação?

Não dispomos de tempo e espaço para discorrer sobre as questões metodológicas intrincadas que essas perguntas suscitam. Nos limites deste artigo, limitamo-nos a registrar a dificuldade e logo passamos a enfrentá-la praticamente. Para esse fim, a distinção feita por San Tiago Dantas entre política externa e política internacional nos parece bastante útil.[1] A política

[1] Dantas (1962). Em especial o capítulo "Política internacional", no qual o chanceler desenvolve os objetivos do Programa de Governo apresentado à Câmara dos Deputados durante o governo de João Goulart. Esses objetivos estão desenvolvidos sob os seguintes títulos: Posição de independência, Preservação da paz e desenvolvimento, Relações com Estados americanos, Colonialismo, Nações Unidas, Países socialistas, Países ocidentais.

internacional resulta da sedimentação de posições que os partidos ou a elite governante vêm manifestando diante dos problemas do mundo contemporâneo. A política externa, diferentemente, constitui uma política de Estado, que deve representar o interesse permanente da nação, tal como definido pelas concepções prevalentes na sociedade considerada. Inspirando-nos nesta distinção, vamos nos afastar momentaneamente do terreno da política externa para resgatar o processo de formação das diretrizes de política internacional do partido que passa a governar o país com a vitória de Lula nas eleições de 2002. Esse deslocamento torna-se indispensável, dada a inserção singular desse partido na sociedade e na política brasileiras.

* * *

Fiel à tradição a que se filiava, desde sua fundação, em fevereiro de 1980, o Partido dos Trabalhadores (PT) mostrou grande interesse em definir suas posições sobre os acontecimentos internacionais, em especial aqueles que afetavam os países da América Latina. As lutas sociais contra a ditadura no Brasil, nas quais os fundadores do partido tiveram papel de destaque, foram contemporâneas de lutas contra sistemas opressivos e regimes ditatoriais em outras latitudes do continente, bastando lembrar, nesse contexto, o triunfo da revolução sandinista em 1979, as lutas revolucionárias da Frente Farabundo Martí de Libertación Nacional em El Salvador e da Unión Revolucionaria Nacional Guatemalteca.

Esses dois últimos processos terminaram com negociações de paz e foram decisivos na inauguração do ciclo de implantação de democracias na América Central, o qual, com altos e baixos, perdura até os dias de hoje. O PT mostrou grande dedicação solidária a esses processos, com seus militantes tendo participado ativamente de campanhas de apoio, identificados que se sentiam com o caráter libertário dessas lutas. Entre eles, cabe destacar os membros das Comunidades de Base, da Igreja Católica progressista, que tiveram importante participação na fundação do PT e estavam ativamente engajados na solidariedade às lutas populares na América Central.

Desenvolveu-se também, na mesma época, forte sentimento de solidariedade com as vítimas das ditaduras do Cone Sul, que abriu espaço para a participação de muitos dos exilados chilenos, argentinos e uruguaios residentes no Brasil durante a década de 1970 nas campanhas pela anistia e contra as violações aos direitos humanos na América Latina.[2]

[2] O Comitê Brasileiro pela Anistia (CBA), depois da Lei de Anistia de 1979, continuou suas atividades estendendo-as às lutas pelos direitos humanos no continente. Duas entidades se destacaram: Comitê de Defesa dos DDHH para os países do Cone Sul (Clamor), vinculado à Comissão Arquidiocesana da Pastoral dos DDHH e marginalizados e o Comitê Brasileiro de Solidariedade aos Povos de América Latina (CBS). Muitos desses ativistas passaram a integrar a Secretaria de Relações Internacionais do PT nos anos 1980.

Outra experiência relevante na conformação da orientação internacional do PT foi a relação estabelecida pelo governo/partido de Cuba com muitos dos militantes brasileiros que viveram o exílio na ilha e voltaram à cena política depois da Lei de Anistia de 1979. Esse laço, já presente no movimento estudantil e nas organizações que recorreram às armas na luta contra a ditadura militar no Brasil, tinha sólida base no imaginário popular dos anos 1970, que consagrou a gesta de Che Guevara e a revolução de Fidel Castro como símbolos da luta por igualdade e justiça social no continente. O apoio à Revolução Cubana nunca significou, contudo, a adesão ao regime de partido único, pois o PT nasceu como partido independente e nunca deixou de interpelar criticamente as tradições políticas da "velha esquerda".[3]

No plano internacional, o reconhecimento do PT como expressão de uma "nova esquerda" consolida-se durante o primeiro processo de eleição direta para presidente (1989) depois de quase trinta anos de regime autoritário, quando Luiz Inácio Lula da Silva e Fernando Collor de Mello se confrontaram no segundo turno. A estreita margem de vitória de Collor (somente 6%) catapultou a imagem de Lula e do PT no mundo. Multiplicaram-se os convites e as atividades internacionais do partido mudaram de caráter, iniciando-se uma fase de relações com partidos e governos, na América Latina e na Europa, com base no reconhecimento e no respeito que lhe imprimiam a impressionante votação de 1989.

Mas o ano de 1989 não foi importante para o PT apenas pelo processo eleitoral que protagonizou. Tão ou mais decisiva na formação de sua política internacional foi a queda do Muro de Berlim e o colapso do socialismo soviético. Embora nunca tenha atribuído papel de maior relevo a elas, até então o PT mantivera relações amistosas com os países da Europa Oriental, terra do "socialismo realmente existente", a despeito das críticas emanadas dos setores de tradição trotskista no partido, que saudaram os "ventos de renovação" naquela parte do mundo e fizeram da luta do Solidarnosk um verdadeiro "paradigma".[4] Nas palavras de um protagonista da experiência de relações com os partidos de estado da Europa Oriental, "a política internacional do PT guiava-se pelo princípio de respeito às diferentes tradições históricas de luta dos povos e por uma determinação de abrir e manter relações com todas as expressões partidárias de esquerda".[5] Esses militan-

[3] Ao longo dos anos 1980 desenvolveu-se importante debate sobre a identidade doutrinária do PT que desembocou no I Congresso do partido em fins de 1991. Ele consagrou o caráter "laico" e o pluralismo ideológico do PT. Alguns registros importantes desse debate encontram-se no caderno especial da revista *Teoria e Debate*, O PT e o marxismo, 1991. Há versão em espanhol, organizada por Nils Castro com o título *La renovación de la izquierda latinoamericana*, editada pela Editorial Nuestro Tiempo, México, 1992.

[4] As lutas pela democratização na Polônia começaram no ano da fundação do PT e se prolongaram durante o ano de 1981, influindo fortemente os debates petistas. Para uma compreensão apropriada dessa linha de pensamento, ver Machado (1990, p.15-9).

[5] Entrevista a Djalma Bom, sindicalista fundador do PT que participou dessa experiência.

tes puderam testemunhar de forma direta a crescente inconformidade da população nesses Estados, que passava a rejeitar de maneira cada vez mais desabrida o regime estabelecido em seus respectivos países. Contam, por exemplo, que tinham de tirar da lapela o "brochinho" com que foram obsequiados pelo Partido Socialista Unificado, em Berlim Oriental, para não serem maltratados pela população quando andavam na rua.

A queda do Muro de Berlim acarretou o enfraquecimento das correntes internas petistas referenciadas nas experiências do "socialismo realmente existente" e aumentou a consciência do PT sobre a necessidade de trilhar caminhos próprios. Nesse sentido, a intervenção de Lula no Encontro do PT de junho de 1990 foi determinante. A proposta de reunir as esquerdas[6] do continente para refletir sobre os acontecimentos na Europa do Leste e pensar alternativas ao predomínio das políticas neoliberais executadas por governos como os de Menem, Fujimori e Salinas de Gortari surgiu das conversas com as delegações de partidos e movimentos da América Latina e do Caribe presentes nesse Encontro. Congregando a Frente Ampla do Uruguai, o Partido Revolucionário Democrático (PRD) do México, o Partido Comunista de Cuba, a Frente Sandinista de Libertação Nacional (FSLN) da Nicarágua e a Frente Farabundo Martí de Libertação Nacional (FMLN) de El Salvador, entre outras forças políticas, além do PT – que sedia sua secretaria executiva –, o Foro de São Paulo foi um dos frutos mais importantes dessa proposta.

A prioridade conferida pelo PT à construção das relações estáveis com partidos e movimentos da América Latina não o levou a descuidar das relações com partidos de outros continentes. Na Europa, desenvolveram-se vínculos com todas as correntes partidárias: social-democratas, comunistas e verdes. Em diversas viagens, Lula e dirigentes partidários foram recebidos por chefes de Estado da maioria dos países, em muitas ocasiões por governos de partidos amigos do PT.

No Oriente Médio, na África e na Ásia, as relações do PT visavam ampliar os vínculos com partidos que representam realidades muito diversas e com desafios diferentes, mas que compartilham princípios e interesses em prol da paz e do desenvolvimento. Nesse sentido, destacam-se as viagens a Israel e à Palestina, à África do Sul e à China. Esta última, realizada em maio de 2001, marcou o reatamento das relações entre o PT e o Partido Comunista da China, virtualmente congeladas desde os trágicos acontecimentos na Praça da Paz Celestial, doze anos antes.

---

[6] Foi decidida nesse Encontro a convocatória das organizações, dos movimentos e dos partidos de esquerda da América Latina que deu origem ao Foro de São Paulo. A amplitude dessa convocatória permitiu a participação de setores sem representação política real, porta-vozes de agrupamentos altamente ideologizados, ao lado de representantes de experiências de governo e de oposição com maciça representação nas sociedades. Esse "pecado original" restou força ao Foro de São Paulo.

Mesmo que breve, nenhum relato do processo formativo das concepções de política internacional seria completo se esquecesse de salientar a experiência do movimento sindical, solo em que brotou o partido, e no qual ele mantém sólidas raízes até hoje. A narrativa poderia começar, aqui, com as manifestações de solidariedade ao movimento grevista na dobra para a década de 1980, que projetaram Lula, então presidente do Sindicato dos Metalúrgicos de São Bernardo, no cenário político nacional. Elas vinham um pouco de toda a parte, mas principalmente do sindicalismo europeu, que pouco depois se converteria em forte movimento de apoio à CUT, fundada em 1983. O fato é claramente registrado pelo primeiro presidente da entidade, ao observar em depoimento: "Logo no início as principais centrais que reconheceram a CUT enquanto central sindical e que estiveram presentes, inclusive, na fundação foram a CISL e a CGIL da Itália, a CFDT da França, a UGT da Espanha, entre outras".[7]

O apoio dado à CUT pelo sindicalismo europeu repercutiu no partido, que passou a relacionar-se com os líderes e partidos políticos vinculados às diversas centrais sindicais. A atuação internacional da CUT permitiu também o início de uma relação mais estruturada com as centrais sindicais da América Latina, em especial a formação da Coordenadora de Centrais Sindicais do Cone Sul (CCSCS) em 1986. Essa iniciativa teve como objetivo inicial promover o intercâmbio entre as experiências sindicais dos países vizinhos até então inexistente.

No discurso pronunciado no encontro dos partidos políticos latino-americanos de 1990 que deu origem, como já vimos, ao Foro de São Paulo, Lula defendeu a abertura de canais próprios de comunicação entre os partidos da América Latina para que não dependessem mais dos encontros ocasionais nos congressos dos partidos europeus. Poder-se ia dizer que a tomada de consciência sobre a importância de promover as relações entre os partidos políticos latino-americanos foi antecipada pela intensificação das relações do movimento sindical na Europa e na América Latina.

O ativismo internacionalista da CUT tomou rumo diferente na década de 1990 quando a central decidiu tomar uma atitude de intervenção direta no processo de integração regional oficializado pelo Tratado de Assunção em 1991. Chama a atenção do observador atento a perseverança das centrais sindicais na apresentação de propostas para promover a dimensão social do Mercosul[8] diante da indiferença dos governos, que concentravam seus esforços na dimensão comercial do processo de integração, e da sociedade política, que se mantinha apegada à agenda tradicional (centrada nos problemas domésticos). O Partido dos Trabalhadores foi o primeiro partido político a introduzir a questão da integração regional na sua agenda. Foi

[7] Depoimento de Jair Meneguelli (2003).
[8] Uma cuidadosa abordagem desse trabalho encontra-se em Portella de Castro (1996, p.44-71).

assim que, em 1993, o partido promoveu o Seminário Nacional sobre o Mercosul, na capital do estado do Paraná. A "Carta de Curitiba", produto desse Encontro, pautou as campanhas eleitorais que incorporaram seus postulados como propostas para uma mudança dos rumos do Mercosul.

Os ganhos dessa intervenção do movimento sindical e do partido se refletem na estrutura do Mercosul: a criação do Subgrupo 11 (desde 1995 chamado de Subgrupo 10), do Observatório de Emprego e da Comissão Sociolaboral. É importante destacar também a criação do Fórum Consultivo Econômico e Social, representante dos interesses dos setores organizados da produção e do trabalho e, no campo político, a Comissão Parlamentar Conjunta, formada por representantes dos parlamentos dos países-membros.

No plano continental, a ação do movimento sindical e dos movimentos sociais contra a Alca foi concomitante à denúncia feita pelo Partido dos Trabalhadores dessa proposta norte-americana como "projeto de anexação" e a concentração na defesa do Mercosul como a principal estratégia de desenvolvimento regional. A forte vocação integracionista da CUT e do PT foi pioneira e rompeu as fronteiras nacionais à procura dos seus pares nos países do Cone Sul para tecer acordos horizontais que modificaram o processo tradicional de tomada de decisões.

No plano mundial, a organização dos primeiros encontros do Fórum Social Mundial em Porto Alegre contou com a ativa participação do governo do estado do Rio Grande do Sul e da prefeitura, ambos petistas. Se os atores principais desses fóruns são as organizações sociais e não governamentais, o papel do Partido dos Trabalhadores foi determinante para o sucesso dessa reconhecida instância de debates de políticas públicas e articulações para a ação comum sob o lema "Um outro mundo é possível".

O ativismo internacional do PT e das organizações sociais que a ele se vinculam estreitamente constitui, em si mesmo, um dado importante. Mas o sentido mais profundo desse processo só se torna evidente quando passamos a considerar a evolução, nesse campo, das concepções mais articuladas sobre a política internacional e o lugar do Brasil no mundo. O tema é vasto e poderia ensejar muitos projetos interessantes de pesquisa. Na ausência dele, tomaremos como referência, para o que vem a seguir, a sequência de textos publicados no Boletim da Secretaria de Relações Internacionais do PT, "Fórum Internacional" (1996-97), sob o título "Política Externa e Projeto Nacional" e o capítulo intitulado "Política externa para a integração regional e a negociação global", do "Programa de Governo 2002 da Coligação Lula Presidente".[9] Esses textos, em que predomina o traço forte de Marco Aurélio Garcia, secretário de Relações Internacionais do PT durante toda

[9] Marco Aurélio Garcia coordenou as contribuições e foi o responsável pela redação final desse texto.

a década de 1990, antecipam o clima de mudança da política externa que caracterizaram os primeiros seis meses do governo Lula.

Como se poderia prever nas páginas de um órgão de oposição, o que primeiro sobressai nesses textos é a crítica da política externa dos governos de turno, em especial os de Collor de Mello e de Fernando Henrique Cardoso.

O primeiro alvo da crítica é a "diplomacia presidencial", iniciada pelo primeiro e aperfeiçoada pelo segundo, o qual, desde o início, confirmou sua vocação para conduzir os rumos da diplomacia. Sua reconhecida competência, seu conhecimento de idiomas e, principalmente, sua visão dos problemas internacionais projetaram o prestígio de Cardoso no plano internacional. Que mal há nisso? A resposta introduz um tema que se tornaria recorrente nas páginas dessa publicação: "A desenvoltura internacional de FHC não é capaz de ocultar [...] os problemas que enfrenta nossa diplomacia, pois é impossível ter uma política externa consistente se o país não dispõe de um projeto nacional".

Retomando uma ideia cara a San Tiago Dantas, formulador da Política Externa Independente do governo Goulart no início da década de 1960, essa crítica soava como música aos ouvidos de amplos setores da diplomacia brasileira, que, sem questionar abertamente a política oficial do Itamaraty, não se furtavam a emitir sinais de simpatia às posições do Partido dos Trabalhadores. Em outro documento, a divergência era exposta com toda clareza:

> O ponto de vista que será a seguir defendido parte de duas diferenças básicas com as teses do atual governo. Os "ajustes" que a esquerda propõe são radicalmente diferentes daqueles que FHC realizou e pretende realizar. Em segundo lugar, e relacionado com o anterior, os sinais a serem dirigidos para o mundo são outros e, fundamentalmente, o Brasil não pode conformar-se em inserir-se na nova ordem mundial. Ele deve contribuir decisivamente para que um novo tipo de relações de poder se constitua no mundo. Isso significa opções, iniciativas, escolhas de alianças de outro tipo, mas também ir além de uma retórica que não chega a esconder o imobilismo ou transformações regressivas subterrâneas de nossa política externa. (nov./dez. 1996)

Recusa da inserção passiva; reconhecimento de que o processo de transição da ordem internacional está em curso; reafirmação do objetivo de contribuir ativamente para que a configuração de poder daí resultante seja favorável à realização de um projeto nacional. O último ponto é decisivo. A crítica centrava-se na falta de um projeto de nação. O fim do regime militar e a longa transição democrática dos anos 1980 foram acompanhados pela crise econômico-social e o país ficou cada vez mais dependente e vulnerável. "Concentrador de renda e de poder, o nacional-desenvolvimentismo foi posto em questão pela irrupção sem precedentes das massas na política brasileira nos últimos vinte anos, que mostraram o caráter socialmente excludente e politicamente autoritário daquela experiência." Nem por isso o conceito de um projeto nacional deve ser abandonado. Construir um novo projeto nacional, com base na defesa de políticas de crescimento com distribuição de renda e inclusão social foi o desafio do Partido dos Trabalhadores ao longo das três campanhas presidenciais. Sem esse projeto nacional, cabe perguntar

> para que servem os governos (e presidentes) quando as decisões cada vez mais se transferem para os organismos internacionais ou simplesmente para os grandes grupos multinacionais? Presidentes e ministros passam a ser como que "mestres de cerimônia" do poder. Daí a importância de seu charme e *savoir-faire* [...] (jun. 1996).

Essa reflexão, que vincula estreitamente a política externa ao processo de desenvolvimento e a uma concepção ampliada de democracia, rejeita frontalmente a mensagem do mal chamado "realismo periférico"[10] e denuncia o caráter meramente defensivo da reorientação imprimida à diplomacia brasileira no governo de Fernando Henrique Cardoso.

> Na medida em que a política externa de um país deve expressar na esfera internacional um projeto nacional e que esse projeto entra em crise, nossa diplomacia teve de contentar-se em viver de sobrevivências do passado, com ajustes empíricos e zigue-zagueantes em relação às novas conjunturas internacional e brasileira (set./out. 1996).

Mas a reflexão no PT sobre a política internacional não se limitava ao comentário crítico. Presente de forma embrionária desde o início, com o passar do tempo sua dimensão positiva ia ganhando contornos mais nítidos. É assim que, tomando como princípio regulador a ideia de que a definição clara das "relações entre globalização e regionalização e entre regionalização e projeto nacional" é condição prévia para a formulação de uma "estratégia de relações internacionais para o Brasil", um texto publicado no Fórum Internacional em meados de 1997 esboçava os contornos do que viria a ser a nova política externa: "A construção de uma política externa ativa, que leve em conta os constrangimentos internacionais mas que seja resultante de um claro projeto de nação, democraticamente construído" (jul./ago. 1997). No desenho dessa política, a estratégia de fortalecimento do Mercosul aparecia como garantia de inserção soberana:

> se é certo postergar e rediscutir radicalmente a agenda da Alca, isso só pode ser feito com eficácia se avança na direção de um outro Mercosul, onde a sociedade

[10] Exemplo desse pensamento está em Escudé, 1995.

tenha vez e onde, sobretudo, se garantam condições para os quatro – e amanhã mais parceiros – de uma presença econômica e política mais forte no mundo (idem).

Mas a política externa de um país como o Brasil não poderia ficar adstrita aos confins do continente americano: para afirmar sua individualidade própria, até mesmo nesse espaço, o Brasil precisa estabelecer "alianças bilaterais fortes com países que ocupam no mundo – real ou potencialmente – lugares semelhantes ao do Brasil. Invariavelmente vêm a tona os exemplos da Índia, China, Rússia e África do Sul" (idem).

A subordinação da política externa aos imperativos de um projeto nacional de desenvolvimento é o eixo estruturante da proposta formulada no Programa de Governo de 2002:

> A política externa será um meio fundamental para que o governo implante um projeto de desenvolvimento nacional alternativo, procurando superar a vulnerabilidade do país diante da instabilidade dos mercados financeiros globais. [...] Levando em conta essa realidade, o Brasil deverá propor um pacto regional de integração, especialmente na América do Sul. [...] A política de regionalização, que terá na reconstrução do Mercosul elemento decisivo, é plenamente compatível com nosso projeto de desenvolvimento nacional. A partir da busca de complementaridade na região, a política externa deverá mostrar que os interesses nacionais do Brasil, assim como de seus vizinhos, podem convergir no âmbito regional (jul. 2002).

É sobre essa base que se desenvolve a estratégia de "negociação global". Em primeiro lugar, define-se que "as negociações da Alca não serão conduzidas em um clima de debate ideológico, mas levarão em conta essencialmente o interesse nacional do Brasil". A seguir desenha-se a proposta de "relação equilibrada" com a União Europeia e com o bloco asiático em torno do Japão. Por último, o apelo: "articular esforços a fim de democratizar as relações internacionais e os organismos multilaterais, como a ONU, a OMC e o Banco Mundial". Menção especial merece a intensificação de relações com a África, "explorando os laços étnicos e culturais existentes e construindo relações econômicas e comerciais" (Ibidem).

A estreita conexão entre a perspectiva geral que informa essa trajetória e as tomadas de posição que vêm marcando a política externa brasileira no governo Lula é bastante visível. Ela fica patente, por exemplo, na desenvoltura com que a diplomacia brasileira se movimentou na crise do Iraque, quando foi além da defesa protocolar da busca de saídas pacíficas para o conflito, colocando-se claramente ao lado dos países que rejeitavam o recurso à ação militar sem o aval do Conselho de Segurança da ONU. Transparece também na decisão de acionar o Banco Nacional de Desenvolvimento Econômico e Social (BNDES) – instituição que, por suas dimensões e pelo papel que vem desempenhando desde sua criação, meio século atrás, não tem similar no continente americano – no financiamento de projetos na área de comércio exterior e na infraestrutura em países vizinhos, bem como na sugestão feita por Lula de que seja criado um organismo semelhante ao BNDES para a América Latina.[11] Reflete-se, ainda, nos esforços desenvolvidos pelo governo brasileiro para aprofundar e ampliar o Mercosul, mediante aceleração dos entendimentos com vistas ao acordo de livre comércio entre o Mercosul e a Comunidade Andina das Nações, passo decisivo no caminho da desejada integração sul-americana.

Contudo, seria difícil entender política externa do novo governo se não levássemos em conta um elemento apenas tangenciado na exposição precedente. Referimo-nos ao debate sobre os rumos da política externa no seio do Itamaraty e à incorporação desse tema na agenda da política nacional. Não poderemos nos estender sobre esse assunto, mas devemos mencionar dois de seus aspectos essenciais.

O primeiro diz respeito à reformulação ocorrida no discurso da política externa brasileira na primeira metade dos anos 1990. Ela se tornava imperativa pelos efeitos que a derrocada do bloco soviético produzia no sistema internacional. Ao contrário do que ocorreu em alguns países, onde a política externa foi palco de reviravoltas espetaculares, no Brasil prevaleceu o esforço de adaptar-se às novas realidades criadas pelas mudanças em curso na economia mundial – o tema da globalização – e o fim da Guerra Fria, sem rompimento declarado com sua tradição diplomática, em que tinham lugar de destaque o valor da autonomia e o princípio do universalismo. Já esboçado no fim do governo Sarney, esse processo de reformulação estava concluído cinco anos depois, quando Fernando Henrique Cardoso assumia a Presidência do Brasil (Velasco e Cruz, 2001, p.135-58). Conhecemos a crítica que o PT fazia da orientação dele resultante. Cabe agregar este dado: embora expressasse um amplo consenso, a referida orientação não era igualmente abraçada por todos os segmentos da diplomacia brasileira. Havia, naturalmente, a inquietação dos mais jovens. Mas, com ela, a palavra mais ou menos dissonante de vários diplomatas graduados. Um deles, já referido neste artigo, o embaixador Samuel Pinheiro Guimarães, externou publicamente com tal insistência suas discordâncias que acabou sofrendo uma punição drástica. Tudo isso deixa entrever um aspecto importante da história que estamos a retraçar: o amadurecimento da reflexão sobre a política internacional no PT e a evolução do debate interno no Itamaraty são dois processos que se interligam de maneira sutil por inúmeros laços. Na fase de transição entre os governos, quando o PT se prepara para chamar a si as decisões sobre os destinos do país, a convergência entre os formu-

[11] A esse respeito, cf. "América do Sul será prioridade do BNDES" e "Brasil impulsiona política industrial comum". *O Estado de S. Paulo*, 17 maio 2003; "Lula propõe bloco contra as desigualdades", ibidem, 23 maio 2003; Lessa (2003).

ladores da política internacional do partido e setores do Itamaraty se faz com naturalidade.

O segundo refere-se à importância que o tema da Alca teve no desenho da política externa brasileira nos anos 1990 e na ampliação do conflito em torno dela nos últimos anos. Como se sabe, a diplomacia brasileira sempre encarou com muita reserva a proposta norte-americana da "área de livre comércio" hemisférica. Tendo predominado entre os formuladores dessa política a avaliação de que seria irrealista negar-se, pura e simplesmente, a participar do processo negociador, estes adotaram uma linha de ação marcadamente defensiva: insistência na negociação em bloco; exigência de concessão de mandato negociador ao presidente pelo congresso dos Estados Unidos, ênfase na discussão de temas sensíveis para o interlocutor – abertura do mercado norte-americano a produtos tradicionais com grande peso na pauta de exportações do país (sucos cítricos, produtos siderúrgicos etc.), além de mudanças na política de subsídios agrícolas e na legislação *antidumping*, origem de fortes barreiras não tarifárias. O objetivo mais ou menos óbvio dessa estratégia era ganhar tempo, na expectativa de que, no final da linha, fosse possível obter concessões expressivas o bastante para tornar aceitáveis no país os termos da negociação. Nos primeiros momentos, ele pareceu bem-sucedido, mas à medida que as etapas do cronograma iam sendo vencidas e crescia na sociedade brasileira a percepção dos impactos distributivos da negociação (Lima, 2000), os limites desse plano de ação se tornavam cada dia mais evidentes. Nesse contexto, a intensificação das tensões no corpo diplomático não surpreende. Não estranha, tampouco, o fato de que, para além dos círculos empresariais diretamente concernidos, o tema da Alca tenha mobilizado inúmeros atores político-sociais e animado vasto movimento de opinião – consulta popular não oficial no segundo semestre de 2002 contabilizou milhões de votos em repúdio ao acordo.

As negociações da Alca constituem teste crucial para Lula, e a consideração delas nos devolve à questão original sobre a continuidade e a mudança na política externa de seu governo. O fato de ter dado seguimento a elas, em vez de denunciá-las – como gostariam os militantes do movimento contra a Alca e parecia sugerir o seu próprio discurso em muitos momentos –, pouco nos informa a esse respeito. Se quisermos formar um juízo mais fino sobre o assunto, precisamos examiná-lo com um mínimo de atenção.

O problema com que se defrontava o governo Lula surgia da conjugação de dois elementos: 1) a disposição realista de evitar conflitos desnecessários, buscando, com altivez, definir nos melhores termos possíveis suas relações políticas com a potência hegemônica; 2) o reconhecimento de que as virtualidades da estratégia negociadora passada estavam inteiramente exauridas. Além do simples decurso do tempo, combinavam-se na produção desse resultado dois fatores que escapavam a qualquer controle: a) a legislação aprovada pelo Congresso dos Estados Unidos, que limitava drasticamente o mandato negociador concedido ao Executivo, condicionando os avanços nas matérias de interesse crítico para o país ao jogo de pressões no Legislativo; b) a decisão anunciada pelas autoridades comerciais daquele país de fatiar a negociação, apresentando "ofertas" diferenciadas aos seus interlocutores, e de transferir para o fórum da OMC a negociação dos itens mais sensíveis.

Diante desse quadro, a insistência na estratégia defensiva apontava para dois cenários, ambos igualmente sombrios: o impasse ou a aceitação do núcleo duro da agenda norte-americana em troca de concessões menores que dessem alguma satisfação aos produtores locais de bens de baixo valor agregado. Ou os dois cenários, sucessivamente, o que em vários sentidos acabaria sendo ainda pior.

Para escapar desse dilema mais que provável, o governo Lula fez alguns movimentos precisos. Em primeiro lugar, arejou o debate público sobre a Alca rompendo com a ficção de que se trataria de um acordo eminentemente "comercial", ao enfatizar as questões relativas a serviços, proteção ao investimento estrangeiro e compras governamentais, e ao estabelecer como meta para seus negociadores a preservação (ou mesmo a ampliação) das condições para a implementação de políticas de desenvolvimento econômico e social. Em segundo lugar, tornou explícita a interligação dos múltiplos processos de negociação em curso simultaneamente. Neste ponto, convém ceder a palavra ao ministro Celso Amorim, principal formulador desse novo enfoque:

> Caberia distinguir, de antemão, entre os diversos exercícios negociadores em que estamos envolvidos [...] e os projetos de fortalecimento do Mercosul e aproximação com os demais países da América do Sul. A agenda de estreitamento de laços em nível regional constitui um projeto de integração multifacetado, semelhante ao da União Europeia. As negociações na OMC, da Alca e com os europeus se pautam por uma lógica mais estritamente econômica [...] Dadas as disparidades econômicas entre os participantes nessas negociações, e tendo em vista as iniquidades das regras e práticas hoje prevalecentes – e o risco de seu agravamento – esse objetivo é indissociável de um esforço concomitante de diminuição das restrições à nossa capacidade de fomentar políticas autônomas de desenvolvimento e de correção de distorções.
>
> Na realidade as três negociações podem ser vistas como um processo único em três tabuleiros, na medida em que estão sendo remetidos à Rodada de Doha vários temas cujo equacionamento no plano hemisférico ou inter-regional é considerado, por alguma das partes, politicamente inviável.[12]

[12] Palestra do ministro de Estado das Relações Exteriores, embaixador Celso Amorim, sobre o tema "Inserção global do Brasil: OMC, Mercosul, Alca, Zona de Livre Comércio do Brasil com a União Europeia", pronunciada pelo ministro de Estado, interino, embaixador Samuel Pinheiro Guimarães, no XV Fórum Nacional Rio de Janeiro, 21 de maio de 2003.

O argumento que justifica o enunciado principal no último parágrafo explicita o sentido da operação. Vimos que os Estados Unidos resistem à ideia de negociar na Alca os temas que poderiam tornar um pouco menos assimétrica aí a barganha possível. Trata-se, então, de registrar sem estridência esse fato, e agir desabusadamente de forma recíproca. Na verdade, a arquitetura proposta pela diplomacia brasileira é mais complexa. Ela se desdobra em três linhas: negociações visando a um acordo de livre comércio entre o Mercosul e os Estados Unidos, que envolveria temas como acesso a mercados de bens agrícolas e industriais, além da liberalização de serviços e investimentos em segmentos definidos; a discussão na Rodada de Doha dos temas mais polêmicos, como regras sobre serviços, investimentos, compras governamentais, propriedade intelectual, subsídios, medidas *antidumping*, direitos compensatórios e política de concorrência. Nesse desenho, a Alca seria convertida em um "acordo-quadro", um arcabouço legal para facilitar acordos bilaterais sobre comércio no hemisfério: tal a substância da "Alca *light*", como a proposta passou a ser conhecida (Amorim, 2003).

Os atrativos dessa fórmula para o Brasil e seus sócios são evidentes. Ela abre espaço para negociações substantivas em áreas de acesso a mercados entre o Mercosul e os Estados Unidos sem a pressão artificial de um calendário adrede definido, ao mesmo tempo que desloca a negociação dos itens mais espinhosos para um fórum em que as assimetrias ficam atenuadas, pelo número e pela diversidade maior de participantes do processo negociador, e pela concentração menor de poder entre eles. O significado desse deslocamento fica mais claro quando pensamos no que pode representar a entrada no jogo de "parceiros" como a China – recém-admitida no clube – e a Rússia, em fase avançada de entendimentos com vistas ao mesmo objetivo.[13]

Ora, por esses mesmos motivos a proposta brasileira está fadada a esbarrar em sérias resistências, que aliás já vêm se manifestando (Chade, 2003). Para os Estados Unidos, remeter à OMC a discussão dos temas vitais de sua agenda positiva é o mesmo que abdicar da pretensão, inerente ao projeto de Alca, de estender a linha de exclusão da Doutrina Monroe ao campo das relações econômicas internacionais.

O cenário do impasse, portanto, não está excluído. Mas, caso ele venha a se confirmar, não terá a mesma figura. Porque seu objeto será outro, e porque o ônus da intransigência pesará sobre o outro lado.

O melhor, naturalmente, seria ver acolhida a sensatez da proposta e poder consolidar entre as partes um relacionamento político maduro, fundado no respeito mútuo e na busca de benefícios compartilhados.

[13] Para facilitar o exercício, cf. India, China to work together on Doha round (2003), disponível na www; Russian Premier: Russia-WTO negotiations enter final stage (2002) e Lo (2003).

Este é o desejo manifesto do governo brasileiro, e motivos não faltam para que ele seja sincero. Contudo, na atmosfera crispada em que nos encontramos no presente, sua realização é bastante incerta. Seja como for, na negociação da Alca a política externa do governo Lula conhecerá seu momento de verdade.

Ao fim do caminho, podemos dar uma resposta cabal à questão formulada na abertura deste artigo: com o governo Lula, a política exterior do Brasil tomou um novo rumo. Haverá condições de mantê-lo? Esse é um novo problema, que não depende exclusivamente da vontade dos governantes, mas de sua capacidade de vencer os grandes desafios internos e externos com que, desde já, está confrontado.

7
Futuros alternativos. As eleições presidenciais e a política externa brasileira*

Escrito com Ana Maria Stuart

Em quaisquer circunstâncias, a tentativa de estabelecer relações significativas entre a eleição de um político e as medidas adotadas pela equipe de governo por ele formada é das mais incertas. Em parte, isso se deve à natureza da decisão embutida no voto. Na democracia representativa, o objeto da escolha feita pelo eleitor são os partidos ou candidatos, não seus programas. Entre a eleição de um governante e as políticas que ele põe em prática há uma série de condicionantes, alguns dos quais muito conhecidos, que frequentemente o afastam bastante das expectativas criadas por suas promessas. Mas essa não é a única razão e talvez não seja a principal. Em política, como na vida, continuidade e mudança não se contrapõem. A ação política não é jamais igual a si mesma, já que se exerce sobre um mundo em constante variação. Sendo assim, como interpretar as diferenças observadas? Mera adaptação aos novos dados da realidade ou aplicação de uma diretriz diversa?

As dificuldades se revelam ainda maiores quando levamos em conta a dimensão discursiva das políticas governamentais. Elementos de um processo que envolve, em combinações complexas, conflito e cooperação, os discursos dessas – e sobre essas – políticas obedecem a uma lógica própria, apenas indiretamente relacionada aos aspectos materiais das políticas a que se referem. Muitas vezes um discurso de ruptura oculta continuidades surpreendentes no conteúdo das medidas efetivamente implementadas, como

* Para o Colóquio "L'Amérique Latine aux Urnes", promovido pelo CERI/Fondation Nationale des Sciences Politiques e pela Maison d'Amérique Latine, Paris, 14-16 dezembro 2006. Publicado com o título Les élections présidentielles et la politique étrangère brésilienne. In: Dabene, Olivier (org.). *L'Amérique Latine aux urnes*. Paris: Presses de la Fondation des Sciences Politiques, 2007, p.261-88.

parece ter sido o caso no governo de Margaret Thatcher (Pierson, 1994). Outras vezes ocorre o contrário: mudanças de fundo são introduzidas sob a retórica de fidelidade ao programa que está sendo abandonado na prática – segundo alguns analistas, o processo de reforma econômica na Índia inscreve-se neste segundo caso (Jenkins, 1999).

Para lidar com esses e outros problemas, na análise de processos observados os estudiosos recorrem a um conjunto mais ou menos padronizado de procedimentos, que incluem geralmente o manejo cuidadoso de dados quantitativos e qualitativos e o emprego controlado de raciocínios contrafactuais.[1] Mas como avançar nesse exercício se o processo em questão ainda não se deu? Como avaliar o impacto de uma eleição sobre a política externa de um país – este é nosso desafio – se o efeito em questão está situado no futuro, se a eleição mal terminou e a composição da futura equipe de governo ainda não foi anunciada, sendo hoje objeto de intensas especulações?

Convém salientar a última cláusula porque ela nos dá uma medida do tamanho do problema que temos à frente e ao mesmo tempo aponta para sua solução. O problema consiste em fazer conjecturas sensatas sobre futuros possíveis. Para aferir a importância de um acontecimento, devemos seguir a lição de Weber e imaginar como o fluxo histórico seria alterado na hipótese de sua não ocorrência. De acordo com esse preceito, avaliamos o impacto de uma eleição por meio de hipóteses sobre o que poderia ter ocorrido caso seus resultados fossem invertidos. Na análise histórica, esse tipo de exercício resulta na contraposição de duas séries muito desiguais: aquela dos fatos realmente constatados e a cadeia de eventos necessariamente genérica imaginada pelo investigador. Essa diferença se desfaz quando transitamos para a análise prospectiva. Em um caso e outro, tratando do acontecimento verificado (em nosso caso, a vitória do presidente Lula) ou do seu contrário, estaremos lidando com cursos hipotéticos de ação.

As considerações precedentes permitem desenhar o roteiro que iremos seguir neste artigo, que se divide em três partes. Na primeira, trataremos de indicar as linhas mestras da política externa do governo Lula, salientando aquilo que faz a novidade dela e as indicações produzidas durante o processo eleitoral sobre as eventuais correções a serem feitas caso o presidente fosse reeleito. A seguir, cuidaremos de apresentar o que seria o programa de política externa da oposição. A referência obrigatória aqui é o programa de governo do candidato Geraldo Alckmin, mas a parte relativa ao tema da política externa neste documento é muito rala. Assim, na elaboração dessa parte do estudo trabalhamos também com os argumentos expostos no passado pelos principais formuladores da política externa do governo Fernando Henrique Cardoso e com as tomadas de posição das figuras representativas

[1] Cf. Weber (1965, p.290-323, especialmente p.300ss.) e os ensaios reunidos na coletânea editada por Tetlock & Belkin (1996).

da corrente de opinião com ele identificada sobre a política externa de Lula. A contraposição feita nestas duas primeiras partes nos permitirá formular um juízo mais sólido sobre as diferenças que separam as duas alternativas postas ao eleitor brasileiro no segundo turno das eleições presidenciais de 2006 no tocante à matéria. Se conseguirmos mostrar que tais diferenças são grandes, estaremos autorizados a afirmar que o impacto dessa eleição será significativo, mesmo que ela tenha resultado na recondução do presidente Lula. Na terceira parte passaremos em revista alguns dos elementos da conjuntura internacional presente e esboçaremos uma rápida reflexão sobre seu significado para a política externa brasileira no segundo mandato do presidente Lula.

O GOVERNO LULA. CONTINUIDADE E DESCONTINUIDADE NA POLÍTICA EXTERNA BRASILEIRA

Novembro de 2002. Ao mirar pela primeira vez o panorama internacional em sua nova condição de presidente eleito, Luiz Inácio Lula da Silva podia divisar algumas nuvens cinzentas no horizonte. Uma delas era representada pela crise aguda que atingia dois países vizinhos – os mais importantes – e que dera farta matéria à exploração de seus adversários no processo eleitoral recém-concluído. Ao sul, a Argentina ainda debatia-se para sair de uma catástrofe econômica – a mais grave em toda sua atribulada história – sob a batuta do peronista Eduardo Duhalde, terceiro ocupante da Casa Rosada desde a derrubada do presidente radical Fernando de la Rúa, em 19 de dezembro do ano anterior. Ao norte, ainda sob o trauma do golpe militar frustrado em abril de 2002, paralisada pela escalada das mobilizações multitudinárias da oposição e das contramobilizações, não menores nem menos aguerridas, dos seguidores do presidente Hugo Chávez, a Venezuela parecia caminhar inexoravelmente para a guerra civil.

As tensões provocadas pelo avanço no cronograma de negociação da Alca formavam outra nuvem cuja sombra projetava-se sobre o hemisfério. Essas tensões resultavam da agressividade das autoridades norte-americanas nos temas de serviços, propriedade intelectual, investimentos e compras governamentais, e da clara indicação dada pelo Congresso dos Estados Unidos, com a aprovação do Trade Promotion Act, de que não haveria concessões na área agrícola – na qual se concentravam muitos dos interesses ofensivos brasileiros. Aprovado a duras penas, depois de intenso debate parlamentar e de inúmeras emendas, esse projeto que delegava autoridade ao Executivo para negociar tratados comerciais, sujeitos apenas à ratificação pelo Legislativo, continha um conjunto de dispositivos com vistas a limitar a margem de liberdade dos negociadores nas áreas tidas como politicamente sensíveis. Nos termos da lei, as negociações comerciais deviam visar objetivos gerais e específicos minuciosamente estabelecidos, sua abertura estando condicionada à consulta prévia ao Congresso e seu desenvolvimento à supervisão rigorosa desse poder, que passa a contar com um comitê bicameral formado especialmente para tal missão. Promulgada em 6 de agosto de 2002, pelos obstáculos que teve de vencer (foi aprovada por apenas três votos na Câmara) e por seu conteúdo, essa peça legal sinalizava claramente para os negociadores brasileiros quão ingrata era a tarefa que tinham pela frente.

Mais ao longe, outra nuvem pesada era a que se formava no grande tabuleiro da política internacional. Vencida sem grande dificuldade a campanha contra o Taliban no Afeganistão, os Estados Unidos preparavam-se para abrir o segundo ato da guerra mundial contra o terrorismo que anunciaram ao mundo dias depois do atentado de 11 de setembro. Mas não contavam agora com o apoio unânime de seus aliados tradicionais. Desenhavam-se então os contornos da crise diplomática que levaria à derrota da posição norte-americana no Conselho de Segurança da ONU e à decisão unilateral da superpotência de invadir o Iraque.

Os indícios de que o governo Lula responderia de forma inovadora aos desafios da conjuntura internacional não se fizeram por esperar. Agudamente consciente das implicações da crise venezuelana, antes mesmo de tomar posse Lula mandava ao país seu emissário pessoal, Marco Aurélio Garcia, e acertava com o presidente em exercício duas iniciativas de importância decisiva na superação da crise: o envio de um navio-tanque da Petrobras àquele país e a proposta de criação do grupo de Amigos da Venezuela.

Não se tratava de um fato isolado. As palavras e os gestos do presidente Lula tornavam patente para o público interno e externo que a América do Sul passaria a ocupar papel central no traçado da política externa brasileira. Convém relembrar: a escolha nada casual da Argentina como primeiro país a visitar depois da consagração de sua vitória nas urnas; a ênfase posta, nos pronunciamentos que fez nessa e em ocasiões subsequentes, no imperativo da integração sul-americana e na reconstrução do Mercosul. Considerava-se que o Mercosul dos anos 1990, plataforma para a abertura indiscriminada das economias, devia incorporar projetos de desenvolvimento impulsionados por políticas públicas ativas, transitando do modelo de integração negativa para outro de integração positiva (Merkel, 1999). Nessa primeira reunião Lula–Duhalde com suas equipes, em novembro de 2002, mencionou-se a necessidade de voltar ao espírito do Programa de Integração Comercial e Econômica (Pice) assinado pelos presidentes Sarney e Alfonsín nos anos 1980, que iniciou uma aproximação inédita dos dois países em todas as áreas da produção, do trabalho e do conhecimento.[2]

A leitura atenta dos textos oficiais e dos discursos dos protagonistas é instrutiva. Considere-se, por exemplo, o documento apresentado pelo

[2] Nos marcos desse acordo assinaram-se primeiro 24 protocolos setoriais e posteriormente outros 24 abrangendo todas as áreas.

governo brasileiro na primeira Cúpula do Mercosul (Asunción, junho de 2003) posterior à cerimônia de posse dos presidentes Lula e Kirchner. Conhecido como *Objetivos 2004-2006*, esse documento estabelecia as metas de aprofundamento e ampliação do Mercosul a serem perseguidas no período.

O pano de fundo do documento era a situação de empobrecimento generalizado das duas últimas décadas, que agravou a fragmentação social e territorial crônica, aumentando os bolsões de exclusão em todos os países sul-americanos. A consciência da necessidade de uma resposta regional para tal realidade motivou a decisão de abandonar as teses exclusivistas para abrir caminho à implementação das políticas públicas comuns necessárias ao enfrentamento daquele desafio. O objetivo de consolidar o processo de integração, submetido até 2002 à lógica das crises econômico-financeiras que afetaram os países-membros, está presente em cada um dos itens da proposta, intitulada *Programa para a Consolidação da União Aduaneira e para o lançamento do Mercado Comum.*

As negociações em torno desse programa não foram simples porque enfrentaram interesses constituídos na defesa do modelo de Mercosul centrado no comércio e regido pelos imperativos do mercado. As resistências de setores dominantes vinculados às empresas multinacionais provocaram impasses que os governos conseguiram superar apenas por sua forte determinação política. Nesse sentido, as linhas estratégicas lançadas nas declarações conjuntas Lula–Kirchner ("Consenso de Buenos Aires", outubro de 2003 e "Ata de Copacabana", fevereiro de 2004) mostram que a relação Brasil–Argentina constitui o eixo estruturante do novo Mercosul.

No ano de 2003, com essas medidas de aprofundamento do Mercosul, foram tomadas iniciativas importantes com vistas à ampliação do processo de integração regional. Entre elas, cabe destacar a viagem do presidente Lula ao Peru e à Venezuela para apressar a conclusão do acordo Mercosul--Comunidade Andina de Nações (CAN) e lançar as bases da Comunidade Sul-Americana de Nações. Nascido em Cuzco em dezembro de 2004, esse organismo visa aprofundar o diálogo político, fomentar acordos comerciais e, principalmente, implementar a integração da infraestrutura física. Para ilustrar este ponto, é importante mencionar os avanços na construção do corredor transoceânico e nas negociações sobre o chamado "anel energético". A terceira reunião presidencial será em Cochabamba, em dezembro próximo.

"O Brasil não quer hegemonia, quer cooperação", tem declarado reiteradamente o presidente Lula, para afastar as prevenções criadas pela miopia de muitos que não conseguem ver os interesses nacionais e regionais como imbricados e interdependentes. A construção de um novo projeto de desenvolvimento, sustentável e com justiça social, só será possível, ele insiste, se soubermos plasmar os interesses nacionais em uma escala regional. Hoje, com a integração da Venezuela, o Mercosul constitui o núcleo principal em torno do qual tende a se consolidar a integração sul-americana.

O segundo sinal eloquente de mudança na política externa brasileira manifestou-se na nova desenvoltura com que a diplomacia passava a intervir no debate dos temas críticos da política mundial. Foi ainda o que se viu em janeiro de 2003, quando, em visitas ao chanceler Gerhard Schroeder e ao presente Jacques Chirac, Lula perfilou-se ao lado dos países acusados pelo secretário de defesa dos Estados Unidos, dias antes, de representarem a "velha Europa", pronunciando-se claramente pela busca de uma solução pacífica para a crise do Iraque. A tradição diplomática brasileira sempre se pautou pela defesa do princípio da não agressão e da resolução negociada dos conflitos internacionais, atitude reafirmada quando da Guerra do Golfo, na década passada. O que distingue a conduta diplomática do novo governo é a disposição de ir além da simples reiteração de uma posição doutrinária para advogar um tratamento à crise francamente contrário à política da potência hegemônica.

Essa disposição de interpelar a comunidade internacional já tinha se manifestado antes no discurso vibrante de Lula no Fórum Social Mundial, em Porto Alegre, e no papel que desempenhou, nos dias seguintes, no Fórum Econômico Mundial, em Davos, ao falar do problema da fome no ambiente seleto desse auditório, com a legitimidade de seu mandato e a autoridade de sua história de vida.

Significativos em si mesmos, o sentido geral desses atos esclarecia-se nas exposições feitas, desde o período de transição de governos, pelos formuladores daquela política. Como didaticamente explicavam, a novidade na política externa do governo Lula não consistia na eleição de objetivos explícitos radicalmente distintos dos que prevaleciam até então. No plano do discurso pareceria haver continuidade sensível entre os dois governos, mas tal aparência não deveria alimentar equívocos: a prática diplomática seria completamente diversa. Ela acentuaria algumas mudanças já esboçadas timidamente no fim do governo precedente e traria para o topo da agenda algumas novas prioridades, como foi visto ("PT avisa que vai mudar rumo da diplomacia", 2002). Mas as diferenças fundamentais não estariam aí: elas seriam expressas pela nova ênfase nos aspectos estritamente políticos da conduta diplomática, pela defesa mais incisiva dos interesses nacionais nos fóruns multilaterais e pela disposição de traduzir em atos as intenções proclamadas no discurso da diplomacia.

O papel do Brasil e do Mercosul na reunião da OMC em Cancún (2003) ilustra bem esse novo posicionamento. A formação do G20, com países que representam aproximadamente 60% da população, significou uma mudança na geografia política mundial porque esses países tornaram-se, pela primeira vez, protagonistas das negociações comerciais no seio da OMC. Essa aliança permite a articulação dos interesses de países em desenvolvimento que, mesmo com contradições, têm o objetivo comum de enfrentar as políticas protecionistas dos países ricos, em especial os subsídios à exportação.

Essa estratégia de inserção internacional que, sem descuidar das relações com os Estados Unidos e a União Europeia, valoriza a dimensão Sul–Sul, teve expressão na expansão das relações com a África, a Ásia e o Oriente Médio. A realização, em Brasília, da Cúpula América do Sul–Países Árabes, em maio de 2005, mostrou a autonomia do governo brasileiro – que manteve sua decisão diante das "ressalvas" dos Estados Unidos perante essa iniciativa.

A mesma posição se reflete no tratamento dispensado pelo governo Lula ao problema criado pelo cronograma do processo negociador da Alca. Evitando gestos bruscos e declarações altissonantes, a diplomacia brasileira rompeu com a estratégia defensiva que vinha sendo seguida até então e que, diante da posição intransigente do interlocutor, empurrava o país para um desfecho melancólico: a aceitação contrafeita dos itens centrais da agenda norte-americana em troca de concessões menores que contemplassem os interesses particulares de segmentos de bens de baixo valor agregado. Esse efeito resultou de três deslocamentos sutis, mas cruciais: 1) a abertura do debate público a respeito da Alca, com a clara indicação de seu verdadeiro alcance, que transcendia de muito os limites de um mero acordo "comercial"; 2) a elevação das questões relativas a serviços, proteção ao investimento estrangeiro e compras governamentais e propriedade intelectual na escala de prioridades brasileiras e o estabelecimento da preservação do espaço para a implementação de políticas de desenvolvimento econômico e social como meta do Brasil no processo negociador; 3) a explicitação da interdependência dos múltiplos processos de negociação comercial em curso no momento, em especial a negociação multilateral em curso desde 2001 no âmbito da OMC, a rodada Doha. Ao deslocar para este último fórum a discussão dos temas mais polêmicos (e de interesse maior para os Estados Unidos), como os das regras sobre serviços, investimentos, compras governamentais, propriedade intelectual, subsídios, medidas *antidumping*, direitos compensatórios e política de concorrência, a diplomacia brasileira convertia a Alca em um "acordo-quadro," um instrumento legal facilitador de acordos bilaterais sobre comércio no hemisfério. Era a "Alca *light*", como a fórmula se tornou conhecida (Amorim, 2003).

A firme posição do Brasil e de seus parceiros do Mercosul na Oitava Reunião Ministerial da Alca em Miami (novembro de 2003) desencadeou um processo de mudança irreversível no desenho original apresentado pelos Estados Unidos, em 1994, na Cúpula de Miami. Essa mudança está estampada nos pontos 6 e 7 da declaração:

> Estamos conscientes de que as negociações devem conduzir a um acordo equilibrado que considere as diferenças nos níveis de desenvolvimento e tamanho das economias do Hemisfério, por intermédio de várias disposições e mecanismos.
>
> Levando em conta e reconhecendo os mandatos existentes, os Ministros entendem que os países podem assumir diferentes níveis de compromissos. Procuraremos

> desenvolver um conjunto comum e equilibrado [...]. Além disso, as negociações devem permitir que os países que assim o decidam, no âmbito da Alca, acordem obrigações e benefícios adicionais [...].[3]

O projeto de constituir uma área de livre comércio do Alasca à Terra do Fogo estava ferido de morte. Na Cúpula das Américas de Mar del Plata (novembro de 2005), o presidente Kirchner e seus homólogos do Brasil, dos demais países do Mercosul, da Venezuela e de outros países sul-americanos resistiram a todas as pressões e o acordo da Alca, que segundo o cronograma estabelecido deveria ter sido assinado em janeiro de 2005, foi arquivado, ao que parece definitivamente.

Em seu coloquialismo, o discurso de encerramento pronunciado por Lula na última Cúpula de Presidentes do Mercosul (Córdoba, julho de 2006) esclarece o significado do episódio em seu conjunto:

> Eu lembro e vocês se lembram [...] como era nervoso esse Continente, entre Alca e não Alca. Nós, simplesmente, não falamos mais em Alca, simplesmente, a tensão desapareceu. Hoje, quem quiser falar em Alca tem que falar primeiro em Mercosul. Tem que falar em Mercosul porque nós, a partir da nossa realidade, queremos construir acordos com todos os países do mundo, mas queremos que a nossa soberania seja respeitada, que a nossa agricultura seja respeitada, que a nossa indústria seja respeitada, e que os nossos países tenham soberania para decidir a hora de fazer, com quem fazer, em função do nosso interesse.

Durante a campanha eleitoral, a política externa foi incluída, entre os programas sociais e a estabilidade econômica, como uma das grandes realizações do governo Lula. Não houve nenhum sinal de que ela viria a sofrer inflexões no eventual segundo mandato. Adiantou-se que ela daria maior ênfase a certas regiões – o Sudeste da Ásia, o Pacífico e a Austrália e o Leste Europeu (regiões concorrentes do Brasil na atração de investimento, na agricultura e nas exportações) – e que seriam intensificadas e diversificadas as parcerias tecnológicas em várias áreas. Mas nada disso soava como destoante. A perspectiva que se oferecia ao eleitor não era de mudança, mas de aprofundamento da política que vinha sendo seguida.

A POLÍTICA EXTERNA DA OPOSIÇÃO

Salvo em momentos críticos, os temas de política exterior costumam ocupar papel muito limitado na agenda da política doméstica da maior parte dos

[3] Ver <www.ftaa-alca.org/Ministerials/Miami/declaration_p.asp>.

países – a exceção que comprova a regra é representada, nos dias atuais, pelos Estados Unidos, cujos interesses econômicos e estratégicos ramificam-se por todo o mundo. Válida em termos gerais, esta proposição o é mais ainda para um país continental, afastado dos centros de tensão internacional, que desconhece a experiência da guerra em seu território e há mais de um século mantém relações tranquilas com seus vizinhos. Nessas condições, não é de estranhar que no Brasil a política externa tenha sido, por muito tempo, objeto de atenção quase exclusiva da comunidade profissional encarregada da matéria e de um conjunto muito reduzido de especialistas.

Essa atitude de relativa indiferença da opinião pública brasileira com os assuntos externos começou a ser quebrada, porém, no fim do século passado, por uma conjugação de fatores, entre os quais caberia destacar: 1) a crise da dívida e os constrangimentos dela decorrentes, expressos dramaticamente no monitoramento da política econômica do país pelo FMI; 2) as pressões internacionais que passaram a se fazer sentir sobre as políticas internas com o avanço das negociações da rodada Uruguai do Gatt e com a percepção generalizada de agravamento paulatino dos problemas ambientais nos países do Primeiro Mundo; 3) a iniciativa conjunta dos governos do Brasil e da Argentina de dar início a um processo de integração regional com vistas à criação de um Mercado Comum Sul-Americano; 4) a proposta feita pelos Estados Unidos de criação de uma área de livre comércio hemisférica – a Iniciativa para as Américas, anunciada pelo presidente Bush, em 1990, que ganharia corpo sob a forma da Alca na conferência de Miami, em 1994, já no governo Clinton.

Foi exatamente o tema da Alca que trouxe o debate da política externa para a agenda da política brasileira. Vimos no tópico anterior que, no fim do governo Fernando Henrique Cardoso, a oposição a esse acordo expressou-se em um amplo movimento de opinião. Esse sentimento bastante generalizado, ainda que difuso, foi galvanizado pela campanha presidencial de Lula, que chegou a se referir à Alca como um projeto de anexação econômica da América Latina. Com as iniciativas aludidas no tópico anterior, a questão da política externa ganhou saliência na opinião pública e passou a ser uma das marcas distintivas do novo governo.

Embora tenha sido recebida com fortes aplausos – no Brasil e no exterior –, vencido o curto lapso de tempo necessário à assimilação da novidade, a política externa de Lula passou a ser sistematicamente criticada pela oposição. Expressos em declarações e artigos de personalidades vinculadas ao governo precedente, os argumentos que davam corpo a essa crítica eram retomados em editoriais e colunas assinadas nos principais órgãos da grande imprensa, conformando-se, assim, o que podemos tomar como o "discurso da oposição" sobre a política externa brasileira. Naturalmente, esse não era o único discurso formulado pelos críticos do governo Lula. Embora muito mais ralas e quase inaudíveis, havia também, desde o início, objeções vindas de setores de esquerda quanto à timidez e aos compromissos da política externa, que não confrontaria de forma consequente com as forças do imperialismo. Mas como esses setores não se constituíram em alternativa de fato no processo eleitoral que nos ocupa, vamos nos limitar neste artigo à crítica da oposição liberal-conservadora.

Pontual e discreta em princípio, essa crítica torna-se mais sonora e generalizada com o tempo, à medida que a diplomacia do novo governo passa a se defrontar com novos desafios e se vê frustrada em alguns de seus lances.

Para os observadores dessa tendência, a posição adotada pelo governo Lula na negociação da Alca foi totalmente equivocada. Presos a uma atitude eminentemente defensiva, os condutores da política externa brasileira deixavam escapar a oportunidade de obter ganhos reais de acesso ao mercado mais cobiçado do mundo e, pior, condenavam o país ao isolamento. Apontada como uma conquista, a aceitação da proposta de um acordo de alcance limitado (a Alca *light*) apenas disfarçava o fracasso: diante das resistências encontradas, os Estados Unidos já estavam em trânsito para outra estratégia, certos de que poderiam atrair para sua rede de acordos bilaterais de livre comércio, um a um, quase todos os países latino-americanos.

Diante da indisposição dos Estados Unidos de negociar o tema de subsídios agrícolas na Alca, o Brasil respondeu na mesma moeda, transferindo para o plano multilateral a negociação dos temas de maior interesse dos Estados Unidos. Nessa arena operou-se uma das iniciativas mais ousadas da diplomacia brasileira: a aliança com a Índia e a África do Sul para negociação conjunta dos temas agrícolas na Rodada Doha. Era o G3, que rapidamente ganhou novos adeptos e pesou de forma decisiva na conferência de Cancún, como já foi observado. Os críticos da política externa de Lula não rejeitaram frontalmente essa novidade, que parecia trazer de volta às negociações comerciais a lógica dos blocos supostamente enterrada na rodada Uruguai do Gatt (Narlikar, 2003). Mas a encaravam com manifesto ceticismo. Em seu entender, a unidade momentaneamente exibida seria facilmente quebrada, pelo poder de sedução dos países desenvolvidos e pela artificialidade desse grupo, que reunia grandes exportadores agrícolas, como a Argentina e o Brasil, de um lado, e países com fortes interesses defensivos na área, como a Índia. Como o grupo se manteve de pé apesar de tudo, a crítica evoluiu ao longo do tempo para a denúncia da incoerência criada pelo compromisso brasileiro com as demandas de seus parceiros "protecionistas".

A política em relação ao Mercosul foi outro dos focos privilegiados da crítica oposicionista. Registrando com cores fortes as tensões reais que se manifestaram entre os Estados-membros durante o período, os defensores desse ponto de vista condenaram veementemente o governo por três erros capitais nessa área: 1) sua leniência diante da Argentina, que tomou recorrentemente medidas unilaterais para restringir o acesso de produtos brasileiros ao seu mercado e, a partir de certo momento, passou a cobrar a criação de um dispositivo institucional para esse fim – o Mecanismo de Adaptação Competitiva –, cláusula de salvaguarda de todo estranha à lógica de uma união aduaneira como o Mercosul; 2) o contraste entre a deferência dessa atitude e o descaso com que são tratados os membros mais frágeis do bloco – o Uruguai e o Paraguai –, que tendem a abandoná-lo se tiverem oportunidade de concluir acordos comerciais com os Estados Unidos; 3) a aceitação da candidatura da Venezuela à condição de membro pleno do bloco – pela inconveniência de partilhar a condução de negociações comerciais de importância decisiva para o país com um sócio de tal forma problemático e pelas concessões necessárias para tê-lo no grupo: período de quatro anos para harmonização tarifária e entrada em vigência da Tarifa Externa Comum (TEC) depois da assinatura do tratado de adesão.

Mal recebidos também por esses setores foram o acordo pelo qual o Brasil reconheceu a China como uma economia de mercado, em novembro de 2004 – no que foram secundados por vários segmentos do empresariado industrial brasileiro –, e os esforços para estreitar relações com os países da Liga Árabe. Pelo que tem de sintomático, vale a pena dizer uma palavra sobre este último tema. As primeiras objeções tiveram como alvo a inclusão de países "malvistos" no roteiro de viagens do presidente Lula. Qual a razão para visitar a Síria (mesmo que a população de origem sírio-libanesa forme uma das maiores comunidades imigrantes no país)? Como justificar a cortesia feita a um ditador como Kadafi, justamente condenado ao isolamento internacional pelas nações democráticas em virtude dos crimes de que é responsável? – a visita histórica do primeiro ministro Blair à Líbia, poucos meses mais tarde, causou certo constrangimento aos mais estridentes na crítica, mas a pergunta não foi retirada.

O desconforto nesses meios com a desenvoltura da diplomacia do governo Lula era grande, mas se tornou ainda maior com o anúncio de que o Brasil iria sediar em maio de 2005 a primeira cúpula América do Sul–Países Árabes. Dada a importância inegável do evento, as restrições que suscitou foram sobremaneira vagas, surgindo quase sempre sob a forma de manifestações de dúvida, inquietação, recomendações de cautela. "Será que temos conhecimento suficiente para nos aventurar nesse terreno?" "Que risco corremos ao fazer isso e quais vantagens econômicas podem advir de uma iniciativa como essa?" Os ganhos comerciais com a abertura de novos canais de acesso aos mercados da Liga Árabe são evidentes (no espaço de três anos, o Brasil dobrou suas exportações para a Liga, que passaram de 2.605 a 5.207 milhões de dólares, entre 2002 e 2005 – Ministério do Desenvolvimento, Indústria e Comércio Exterior, 2006). Embora apenas insinuados, os riscos moravam na condição a qual advertia o analista brasileiro de origem síria ao criticar a "visão do golpe do baú" em entrevista concedida na época: as relações econômicas, políticas e culturais andam de mãos juntas; não há como separá-las (Rocha Pinto, 2005).

Nesse, como em muitos outros episódios, manifestava-se, na avaliação dos críticos, um aspecto particularmente negativo da política externa de Lula: o "exibicionismo", a pretensão de liderança – pouco sensata pois desacompanhada dos meios de poder necessários para tornar-se efetiva –, a primazia conferida às relações políticas, em detrimento dos ganhos materiais palpáveis prometidos por linhas alternativas de conduta. Esse vezo irrealista foi responsável por derrotas diplomáticas graves, como o fracasso da candidatura brasileira à secretaria-geral da OMC, e tem sido fonte de problemas no relacionamento com os países latino-americanos, como se vê na reação destes aos esforços da diplomacia para garantir ao Brasil a condição de membro permanente do Conselho de Segurança da ONU. A unidade sul-americana aparece como uma das prioridades mais altas no discurso da política externa brasileira, mas a combinação de inflexibilidade no manejo das negociações comerciais com arrogância política – concluem os críticos – tem se traduzido em divisionismo.

Esses problemas, porém, não surgem por acaso. Eles são os correlatos necessários da linha imposta à diplomacia brasileira pelo grupo que assumiu o comando da política externa com a vitória de Lula. Esse grupo inclui personalidades com trajetória eminentemente política, como se viu, e alguns diplomatas de carreira. O traço de união entre eles é uma visão ideológica que os faz alimentar o sonho de "mudar o mundo". Na vã tentativa de criar uma "ordem internacional alternativa", os condutores dessa política apostam na constituição de um eixo Sul–Sul inassimilável pelos regimes estruturados em torno de instituições como o FMI, o Bird e a OMC, e incompatível com a agenda econômica e financeira do Brasil. A política externa perdeu o rumo. E não o reencontrará enquanto continuar inspirada pelo atraso dessa visão "terceiro-mundista".

Em tom indignado, esse questionamento foi trazido para os meios de comunicação de massa, às vésperas do processo eleitoral, pela crise com a Bolívia. A história é conhecida: no dia 1º de maio de 2006, o presidente Evo Morales anunciou, sem nenhuma consulta ou aviso prévio, o decreto de nacionalização das reservas de petróleo e gás do país. Além de atingir pesadamente a Petrobras, que investira bilhões de dólares na construção do gasoduto que liga as reservas bolivianas de gás e os centros consumidores no Brasil, a medida revelava dramaticamente a dependência brasileira dessa fonte de energia. Ela foi tomada a poucas semanas da eleição crucial que escolheria os membros da Assembleia constituinte boliviana e representava o cumprimento de um compromisso assumido solenemente por Evo Morales na campanha que o levou à Presidência da República. Mas, para as vozes da oposição no Brasil, o ato constituía uma violência brutal que fazia explodir as contradições da política externa de Lula. Como continuar tratando como amigo um país tão hostil? O Brasil, repetiam, foi humilhado e não reagiu à altura. Não há o que negociar. Os contratos não podem ser rasgados impunemente. A passividade diante de tal agressão mostra que o interesse nacional é sacrificado pelo governo quando em contradição com as fantasias da ideologia. Essa acusação foi lançada contra Lula pelo candidato Geraldo Alckmin no debate televisionado que abriu o segundo turno.

O programa divulgado por ele algumas semanas antes era mais sóbrio. Invocando o "caráter consensual e suprapartidário" historicamente assumido pela política externa no Brasil, o documento formulava elipticamente a crítica ao afirmar em seu primeiro parágrafo que ela "deve ser vista como uma política de Estado, dentro de uma perspectiva de médio e longo prazos, onde o interesse nacional está acima de visões conjunturais, ideológicas ou de governos que passam". E retomava o mote algumas linhas depois, ao rejeitar simultaneamente "o abandono pragmático dos valores democráticos em nome de interesses comerciais" e "uma diplomacia exclusivamente ideológica, a serviço de uma visão particular do mundo, que sacrifique interesses concretos e legítimos".

Além de generalidades como essas, o documento enumera uma série de propostas soltas que não chegam a configurar exatamente um "programa". A maior parte delas limita-se a reiterar aspectos consensuais na conduta da diplomacia brasileira, mas algumas outras fornecem pistas sobre o que poderia vir a ser a política externa da oposição e devem ser lidas com maior interesse. Elas estão transcritas a seguir.

> Intensificar as relações com os centros mais dinâmicos da economia global, sem descuidar de nossas ligações, interesses e obrigações históricas com os países menos desenvolvidos.
>
> Ampliar o relacionamento com os países de escala continental, como a China, a Índia, a Rússia, com base na reciprocidade de interesses e não na ilusão ideológica de que são "aliados naturais".
>
> Dar prioridade ao nosso tradicional relacionamento com o Japão e não perder de vista as oportunidades com a Coreia do Sul.
>
> Atuar pela retomada das negociações da Alca e explorar as possibilidades de acordos bilaterais de livre comércio como passos transitórios do processo de integração continental.
>
> Atuar pela conclusão das negociações do acordo bilateral entre o Mercosul e a União Europeia.
>
> Promover ampla reflexão sobre o Mercosul (Coligação por um Brasil Decente PSDB/PFL. *Programa de Governo. Geraldo Alckmin Presidente*).

Observando o desconforto provocado pelo tema do Mercosul, que se expressa no laconismo extremo da última delas, devemos chamar a atenção para o sentido geral dessas diretrizes. De forma epigramática, elas retêm o núcleo da crítica que a oposição vinha fazendo desde o início à política externa do governo Lula e indicam o caminho que ela deveria tomar para chegar a bom destino. O roteiro não exclui os países em desenvolvimento, naturalmente, e muito menos as potências emergentes – a China e a Índia –, mas confere clara prioridade às relações com os Estados Unidos. O documento restringe-se, neste particular, à dimensão econômica, mas no quadro de tensões que marcam no presente as relações interamericanas, o significado político do posicionamento adotado é bem nítido.

Não são pequenas as dificuldades que ele encerra. Mesmo se admitirmos o argumento corrente em círculos empresariais, acadêmicos e diplomáticos, segundo o qual as melhores oportunidades comerciais para o Brasil não estão nos eixos "Sul–Sul", nem "Sul-Norte", mas no eixo hemisférico – o que é discutível –, é forçoso reconhecer que o acordo desejado com os Estados Unidos, em qualquer de suas possíveis modalidades, esbarra em inúmeros problemas. De saída, há a pergunta sobre suas implicações para o Mercosul – como avançar nessa direção sem decretar o fim do bloco? E como fazer isso sem agravar as tensões com vários dos países vizinhos? Depois há a dúvida sobre a viabilidade do acordo no próprio sistema político norte-americano: a autoridade conferida ao Executivo para negociar tratados comerciais expira em 2007, e mesmo sob sua vigência tem sido muito difícil a ratificação no Congresso dos acordos de livre comércio firmados com países da América Latina. Nessas circunstâncias, como garantir o sucesso de negociações para um tratado de livre comércio com uma economia como a brasileira cujo impacto nos mercados de trabalho dos Estados Unidos seria potencialmente expressivo?

Mas não é só. A aposta na relação privilegiada com os Estados Unidos tem outras implicações perturbadoras, que ficam evidentes quando a examinamos com algum recuo. Desde meados da década de 1970 a política externa brasileira norteou-se pelo princípio da autonomia. Foi em nome dele que o Brasil rejeitou por longo tempo o TNP – mesmo afirmando a intenção de desenvolver a tecnologia nuclear exclusivamente para fins pacíficos. Foi em nome do mesmo princípio que o Brasil tomou a dianteira no reconhecimento da independência das ex-colônias portuguesas na África e se opôs, anos mais tarde, à inclusão dos temas de serviços e propriedade intelectual na agenda do Gatt, para citar apenas alguns exemplos. Sob o tríplice impacto da crise da dívida, da globalização econômica e do fim da Guerra Fria, houve no governo Fernando Henrique Cardoso um reposicionamento importante na política externa brasileira. Ele é bem expressado na fórmula cunhada por Celso Lafer, intelectual respeitado e ex-ministro das Relações Exteriores, que teve papel de destaque no processo: a autonomia possível foi buscada no passado pelo distanciamento em relação ao mundo; hoje ela requer "a participação ativa na elaboração das normas e pautas de conduta da gestão da ordem mundial".[4] A passagem entre uma e outra versão do mesmo princípio era facultada pela percepção do sistema internacional do pós-Guerra Fria como um "concerto potencialmente aberto", no quadro de uma perspectiva que, por economia de espaço, vamos qualificar de grociana com fortes elementos cosmopolitas. Ora, os acontecimentos que marcaram a dobra do século tornaram crescentemente difícil agir na cena internacional com base em tal concepção. Com efeito, como fiar-se no processo de elaboração das normas quando estas são violadas reiteradamente pela potência hegemônica? Como buscar a autonomia pela integração na ordem normativa global, quando essa vem sendo erodida pelo unilateralismo daquela potência? Em uma palavra, como praticar a autonomia da maneira preconizada quando o tema da segurança passa a dominar a política internacional e esta ganha feições cada vez mais acentuadamente hobbesianas?

Essas dúvidas chamam a atenção para um aspecto decisivo: o elevado grau de indeterminação da política externa da oposição. Do fim da década passada para cá o mundo mudou e a orientação seguida pelo governo da aliança, hoje oposicionista, na época pouco nos informa sobre a conduta externa que seria a dela se voltasse a ser governo.

Como a aliança foi derrotada em 29 de outubro, seria ocioso especular a esse respeito. Para guiar o argumento que elaboramos neste artigo, necessitamos apenas de elementos para avaliar se naquele momento estiveram em jogo cursos alternativos de ação. Esses elementos nós já temos em mãos. Eles nos permitem asseverar: a política externa sofreria mudança significativa se o voto dos brasileiros tivesse dado a vitória ao candidato da oposição.

NOVO CONTEXTO INTERNACIONAL, NOVOS DESAFIOS

"O Mercosul é uma paixão." A frase foi dita em resposta à questão formulada pelo jornalista argentino, na entrevista coletiva que o presidente Lula concedeu em hotel no centro de São Paulo, minutos depois do telefonema de seu adversário reconhecendo a derrota na eleição. A pergunta vinha a calhar não só pela importância do Mercosul para as relações do Brasil com o país vizinho, mas porque feria o tema que se convertera em um dois eixos do debate eleitoral no segundo turno. Em sua resposta, Lula repetiu o que fizera durante toda a campanha: defendeu ardorosamente a política externa de seu governo e garantiu que ela seria aprofundada. Lula não deve sua vitória à política externa, é óbvio, mas esta recebeu um forte aval com sua reeleição.

[4] Cf. Lafer (2004, p.117). Sobre essa reconversão, ver também Fonseca Jr., 1999.

Contudo, ao iniciar seu segundo mandato, Lula vai encontrar um mundo sob vários aspectos bastante diferente daquele com que deparou quatro anos antes.

No plano geopolítico, os dados mais importantes consistem no rotundo fracasso da política norte-americana no Iraque e nas tensões provocadas pelos programas nucleares da Coreia do Norte e do Irã. Há uma íntima relação entre essas duas séries de eventos e sua combinação deixa um conjunto enorme de interrogações no ar, ali onde pouco tempo atrás – nos dois lados do Atlântico – muitos não viam nenhum lugar para dúvida. A arrogância imperial impediu a admissão dessa verdade singela, de que os meios de destruição que são bons para vencer o inimigo em uma guerra convencional são insuficientes para garantir o sucesso de uma ocupação. Tendo assumido a iniciativa de atacar o Iraque sem nenhuma cobertura legal e contra a opinião da maioria de seus aliados europeus – a pretexto de pôr fim a um programa de produção de armas de destruição em massa e extinguir uma sementeira de terroristas –, os Estados Unidos pensaram o pós-guerra no modo do realismo fantástico: afastados os maus elementos, a paz e a prosperidade floresceriam, sob o reino da democracia. Hoje têm a sua credibilidade fortemente prejudicada pela incapacidade reiterada de comprovar suas denúncias; carregam a responsabilidade de ter criado um novo campo de treinamento para o terrorismo internacional e se veem em meio a uma guerra infinda que já levou milhares de seus soldados e mostrou ao mundo o que os especialistas sempre souberam: que a potência americana é limitada pela aversão acentuada de sua opinião pública ao sacrifício de vidas americanas. Em termos mais gerais, o Iraque – e também o Afeganistão, onde o Taliban renasce das cinzas como que para confirmar antigas lendas sobre o caráter indômito de seu povo – marcam a falência daquilo que um analista arguto denominou *new western way of war* (Shaw, 2005).

Aquela arrogância deu igualmente grande contribuição para a eclosão do segundo dos problemas referidos. Em boa medida, foi a recusa do governo norte-americano de implementar entendimentos previamente alcançados e a sensação de insegurança provocada pelo ataque ao Iraque que incitaram o governo da Coreia ao desafio representado pelo anúncio da retomada de seu programa nuclear. A justificativa pública do programa iraniano é outra, mas é difícil aceitar a ideia de que ele não seja informado também por razões de segurança.

Como essas questões serão enfrentadas no futuro? Quem será chamado a enfrentá-las? – pergunta que se impõe tendo em vista a derrota eleitoral sofrida pelo Partido Republicano nos Estados Unidos, e as mudanças de governo que se anunciam neste e em outros países relevantes. Não temos como saber de que maneira a troca de bastões e as reorientações políticas decorrentes poderão refletir na condução dos problemas que ocupam hoje o centro da cena internacional. Mas uma coisa parece certa: não há caminho de volta – nem à autoconfiança autista do primeiro mandato Bush, nem ao globalismo sorridente da era clintoniana.

No plano comercial, além do esgotamento da Alca, o dado mais importante é o impasse a que chegaram as negociações da Rodada Doha. Como vimos em outra parte do capítulo, a diplomacia brasileira fez um investimento pesado nesse domínio, com o G20, pela liberalização do comércio agrícola; o G5, para a coordenação de posições no tocante à liberalização industrial; a eleição desse foro para compromissos na área de serviços, propriedade intelectual (sem prejuízo de iniciativas em outras organizações como a Ompi), investimentos estrangeiros, regras e compras governamentais. Mas as expectativas brasileiras têm sido frustradas pelas inflexibilidades cruzadas da União Europeia e dos Estados Unidos no que tange a tarifas e subsídios agrícolas e pelas exigências comuns, igualmente fortes, no que se refere aos outros temas. Dada a distância entre as posições dos principais interlocutores, o prazo inicialmente estipulado para a conclusão da Rodada parece caduco e as reduzidas possibilidades de renovação imediata do Trade Promotion Act, que expira em meados de 2007, não recomenda nenhum otimismo.

Política e economia internacionais. Em ambos os planos, os desenvolvimentos observados parecem confirmar as escolhas da política externa brasileira, com a prioridade que ela deu desde o início do governo Lula à integração da América do Sul. Os defensores dessa política não precisam fazer muito esforço para apontar os avanços alcançados nessa direção. Nas palavras do mais autorizado entre eles:

> O crescimento das exportações do Brasil para a América do Sul no primeiro semestre de 2006 em relação aos seis primeiros meses de 2002 foi de 258%. Para o conjunto da América Latina, 220%, para o Mercosul, 332%. Um país que fez acordo com os EUA, como o Peru, importou 139% mais do Brasil este ano. No caso da Colômbia, que é muito ligada aos americanos, o aumento foi de 95%.[5]

E não se diga que os números absolutos por trás dessas taxas de crescimento são inexpressivos: em 2005, as exportações do Brasil para os países-membros da Associação Latino-Americana de Integração (Aladi) ultrapassaram a marca dos 25 bilhões de dólares, correspondendo a mais de 21% das exportações totais do país, 2% a mais do que a participação dos Estados Unidos.

[5] Entrevista concedida pelo ministro de Estado das Relações Exteriores, embaixador Celso Amorim, ao jornal *O Globo*, 29 out. 2006.

Com a integração da infraestrutura física, as medidas de facilitação do comércio e o entrelaçamento crescente entre as economias da região, a América do Sul tende a se constituir um mercado cada vez mais importante para as exportações brasileiras, diminuindo significativamente o risco para o país de eventuais bloqueios nos processos de negociação em que está engajado.

Mas na América do Sul, também, os ventos são de mudança e a mudança em curso no subcontinente cria novas oportunidades, mas igualmente novos desafios para os projetos generosos de integração.

Nessas reflexões finais, nos ateremos a um dos eixos dessa mudança: o processo de consolidação democrática inédito na região. Depois de vinte anos de crise econômica, política e social, o processo de democratização da América Latina conheceu momentos críticos, mas finalmente as forças liberal-conservadoras que conduziram as reformas econômicas na região foram batidas e o novo século iniciou-se com vários triunfos eleitorais de candidatos representativos das lutas políticas e sociais das décadas anteriores: Lula no Brasil, Chávez na Venezuela, Kirchner na Argentina, Vázquez no Uruguai, Morales na Bolívia. A vitória de Bachelet no Chile se dá em outro contexto, mas ela também é tributária do descontentamento com um modelo que, se tem sido capaz de assegurar a estabilidade macroeconômica e taxas razoáveis de crescimento econômico, pouco contribui para diminuir as desigualdades sociais que vêm caracterizando o país nas últimas décadas.

Como as novas maiorias que elegeram esses governos formaram-se no bojo de experiências históricas muito diferenciadas, é sumamente difícil encontrar categorias comuns para analisar o fenômeno que elas expressam. Governos de esquerda, de centro-esquerda, de esquerda-centro, nacionalistas, populistas, neopopulistas? Eminentes cientistas sociais parecem confundidos na tentativa de enquadrar esses governos em categorias conhecidas. A direita não tem dúvida: "maré popularesca", "retórica obsoleta", "líderes retrógrados", "experiências arcaicas", "expressões de um atraso renitente que só Deus sabe quando será superado".

Sem dúvida, a emergência de um indígena como presidente na Bolívia e de uma mulher como presidente do Chile, assim como a de um operário presidente do Brasil não se explicam como fenômenos repentinos nem como resultados de estratégia eleitoral acertada. São processos de caráter endógeno, gerados nas lutas sociais e na construção de políticas alternativas. Essas lideranças surgiram na sociedade e conseguiram firmar-se superando todos os preconceitos, quebrando as barreiras históricas impostas pelas elites desses países. O novo cenário permite vislumbrar significativas mudanças de fundo.

Se considerarmos que a democracia é uma construção histórica inacabada, o grande desafio na América Latina foi e continua sendo a questão da desigualdade social. Muitas tentativas de compatibilizar o regime político que se sustenta na ficção básica da igualdade dos cidadãos com um regime econômico-social gerador de desigualdade já fracassaram. José Nun, sociólogo argentino hoje ministro de Cultura do governo Kirchner, propõe recuperar "essa visão perdida da democracia como governo do povo" (Nun, 2001). Agora, o problema que se coloca para os governos de extração popular no continente é o de conjugar sufrágio e liberdades individuais com justiça distributiva e participação da cidadania, superando a contradição entre desigualdade econômica e igualdade política. O caminho para a solução desse problema é longo, mas a construção de políticas públicas dos governos Lula, Chávez, Kirchner e Vázquez, assim como as apresentadas nas plataformas de Morales e Bachelet, manifestam claramente a vontade política de trilhá-lo.

Essas transformações nas relações entre as sociedades e os Estados que ocorrem nos marcos nacionais, com realidades históricas e identitárias diferenciadas, têm uma projeção imediata no plano regional, desobstruindo vias para o avanço da integração entendida como indispensável à solução dos problemas econômicos e sociais partilhados por todos.

Também no plano das sociedades, a proliferação de fóruns e seminários latino-americanos, com a participação de representantes de organizações sociais e políticas, está permitindo uma interlocução transnacional e um intercâmbio de experiências inéditos no continente. Está em curso na América Latina, acreditamos, a construção de uma nova cultura política internacional vertebrada por redes de discussão e de propostas de políticas públicas, o que nos permite falar em uma protossociedade civil internacional cujo significado ainda está para ser adequadamente avaliado.

Essas transformações têm claro reflexo na projeção internacional da América do Sul, que vem perseguindo estratégias convergentes de inserção internacional autônoma pela via do fortalecimento dos processos de integração já existentes – Mercosul e Comunidade Andina de Nações – e pela formação da Comunidade Sul-americana de Nações. Sem ignorar as dificuldades – ver o conflito surgido recentemente entre Argentina e Uruguai em torno da instalação de uma indústria às margens do rio Uruguai – e as demoras na implementação de uma institucionalidade mais democrática – como o Parlamento do Mercosul –, houve nítida mudança de projeto do Mercosul que hoje responde a uma lógica multidimensional: política econômica, social e cultural, como já se viu em outra parte deste capítulo.

Essa nova política internacional integracionista, por sua vez, está transformando a relação da América Latina, em especial da América do Sul, com os Estados Unidos. Já vimos a posição assumida diante da crise do Iraque pelo governo Lula. Convém aduzir que, a despeito das intensas pressões sofridas, com exceção de El Salvador, nenhum dos países latino-americanos alinhou-se aos Estados Unidos naquele episódio. Cabe registrar, igualmente, que as pressões do governo Bush sobre os governos latino-americanos para que aderissem aos postulados da nova lei antiterrorista (setembro de 2002) e aos imperativos do novo paradigma de segurança calcado no conceito de "guerra preventiva" não tiveram o resultado esperado. Salvo na Colômbia, em que o governo Uribe, firme aliado, recebe volumosos recursos dos Estados Unidos para levar adiante, com o apoio de pessoal civil e militar norte-americano, o modelo de guerra contra o chamado "narcoterrorismo". Sob certos aspectos, ainda mais significativo foi o insucesso dos Estados Unidos em sua tentativa de impor seus candidatos ao cargo de secretário-geral da Organização de Estados Americanos, o ex-presidente de El Salvador, Francisco Flores e o ministro de Relações Exteriores de México, Luis Ernesto Derbez. A eleição de José Miguel Insulza, ministro do governo Lagos e importante quadro do Partido Socialista Chileno, tornou-se símbolo de uma nova era no relacionamento dos Estados Unidos com os países sul-americanos, determinados a trabalhar conjuntamente na construção da autonomia regional.

Todos esses desenvolvimentos pesam a favor da política externa do governo Lula. Mas as transformações em curso na América Latina e na América do Sul, em particular, também dão origem a novos problemas. À medida que os sistemas políticos se abrem à participação e às demandas secularmente reprimidas de amplas parcelas marginalizadas de sua população, as políticas públicas dos países concernidos passam a refletir novos anseios e novas exigências, com consequências muitas vezes complicadas para seu relacionamento com os países vizinhos. O caso do gás boliviano vem logo à mente, mas ele é apenas um exemplo. Integração é sinônimo de maior interdependência. E a probabilidade de conflitos de interesses cresce quando a interdependência aumenta. Ora, no quadro de mudança – em muitos casos desordenada – que presenciamos no subcontinente sul-americano, esses conflitos podem facilmente se traduzir em tensões nas relações entre os Estados envolvidos, com riscos mais ou menos graves para o processo de integração. Viu-se isso no caso da crise com a Bolívia, quando no Brasil muitos se apressaram em cobrar do governo Lula uma atitude dura, que acenasse com a perspectiva de adoção de medidas retaliatórias contra aquele país.

Nesse contexto, a conduta externa brasileira vem sendo guiada pela firme vontade de fortalecer consensos e encontrar soluções mutuamente satisfatórias para os conflitos que surgem ao longo do tempo, na compreensão exata de que a unidade regional é uma construção política cujo sucesso requer imaginação e flexibilidade dos principais atores.

Mas nem uma coisa nem outra são capazes de fazer milagres. Para que tal vontade possa se realizar plenamente é preciso que o Brasil enfrente o duplo desafio da redução das desigualdades abismais que ainda marcam sua sociedade e da retomada, em patamares elevados, do crescimento econômico. Só assim as condições estarão reunidas para a realimentação permanente de uma dinâmica regional integradora.

Apesar dos avanços já alcançados em ambas as frentes, não há garantia de que esse desafio bifronte será vencido. Como tudo de grande que se faz na vida, a política externa de Lula tem, portanto, um elemento de aposta. Mas a aposta que ela encerra é também a aposta ora renovada da sociedade brasileira.

8
2010: A POLÍTICA EXTERNA E A SUCESSÃO*

O PROBLEMA MAIS BEM DEFINIDO

Refletir sobre o impacto provável de um processo ainda em curso é tarefa arriscada. Agora, formular conjecturas sobre as consequências de um processo que ainda não começou, além de impraticável, parece um exercício fútil. Desmentir essa impressão é o desafio que enfrenta o analista chamado a discorrer neste fim de ano de 2009 sobre a política externa e a futura eleição.

É verdade, embora o tiro de largada ainda não tenha sido dado, que a disputa sucessória ocupa já há algum tempo a atenção dos políticos e os espaços nobres no noticiário nacional. O presidente Lula fez sua aposta e ela é encampada, com entusiasmo maior ou menor, por seu partido. A oposição, às voltas com uma equação bem mais complexa, ainda faz suas contas e não se cansa de denunciar a antecipação da campanha. Em certo sentido, portanto, as eleições já estão em marcha.

Mas esta fase é mais bem descrita como período pré-eleitoral. Não se sabe ainda quem estará em campanha contra quem, com que apoios. O campo do governo entrará na liça com um ou mais de um candidato? Quem representará a oposição? Ele encabeçará uma chapa com o partido de direita, que definha a cada dia e acaba de sofrer um golpe devastador, ou em formação pura, contando com sua capacidade de colher apoios em várias correntes políticas e mobilizar múltiplos descontentamentos? Os jogadores não estão escalados e a forma do jogo também continua indeterminada.

* Redigido em dezembro de 2009, especialmente para esta coletânea.

Decerto, seria possível ignorar essas indefinições e operar com uma hipótese simplificadora: em 2010 assistiremos mais uma vez ao embate entre os dois partidos que protagonizam a política brasileira há quinze anos – o PT e o PSDB. Como suas respectivas orientações são conhecidas, poderíamos avançar algumas conclusões genéricas sobre as consequências da eleição. Naturalmente, elas seriam discutíveis. No entender de alguns, a vitória da oposição acarretaria uma mudança significativa na condução da política externa – resultado antecipado com regozijo por uns e apontado por outros como um desastre a ser evitado a todo custo. Observadores menos apaixonados apontariam os elementos de convergência entre os governos Lula e Fernando Henrique Cardoso e sustentariam a hipótese da continuidade das grandes linhas de uma política externa, que já seria de Estado, e não deste ou daquele governo.

Mas fazer essa suposição simplificadora significa dizer que as perguntas enunciadas há pouco são irrelevantes para o problema em causa. Mais do que isso, é expressar confiança excessiva nos padrões pregressos como indicação de comportamentos futuros, como se o contexto em que a ação se desenvolve fosse pouco relevante e aqueles padrões fossem fixos.

Excluída esta saída fácil, resta o problema insolúvel. Ou não?

Com efeito, creio que podemos refletir produtivamente sobre o tema se invertemos a direção da pergunta: se indagarmos não das consequências da eleição para a política externa, mas do impacto desta nas eleições.

OS TERMOS DO DEBATE FUTURO

Tomemos como ponto de partida uma proposição de bom senso: a sucessão presidencial em 2010 será fortemente condicionada pelo êxito consagrador do governo Lula, que se traduz nos índices elevadíssimos de aprovação popular constatados em todas as pesquisas. Influenciados em parte pelo carisma de Lula, esses resultados explicam-se fundamentalmente pelo efeito das políticas de seu governo. Em primeiro lugar pela combinação entre prudência macroeconômica – que frustrou a expectativa dos adversários, ao manter a inflação sob estrito controle –, inovações microeconômicas – que alimentaram o consumo popular ao abrir os circuitos formais do crédito às camadas de baixa renda – e a abrangência de suas políticas sociais, com destaque para o programa de renda mínima – o Bolsa Família. Naturalmente, o governo Lula foi beneficiado por uma conjuntura econômica internacional extremamente favorável, fato insistentemente alegado por seus críticos para negar qualquer mérito digno de nota às suas políticas. Mas o argumento foi desacreditado pela maneira como o governo reagiu à crise financeira internacional – em particular, pela ação pessoal do presidente Lula. Enquanto os bancos privados suspendiam quase inteiramente suas operações de crédito, o governo cortou impostos e mobilizou decididamente as instituições públicas para injetar liquidez na economia. Não só isso. Quando esses mesmos bancos – e os comentaristas engomados que repercutem seus pontos de vista – projetavam cenários tenebrosos para o futuro, Lula teve a ousadia de levar sua palavra de tranquilidade ao público, relativizando o impacto da crise no país e conclamando todos a fugir à armadilha do medo, sem recuar em suas decisões de consumo. Ao fazer isso, ele se expos à chacota dos "entendidos", mas, agora que a economia voltou a crescer e todos projetam uma arrancada impetuosa no ano seguinte, Lula colhe os merecidos louros de sua condição reafirmada de líder.

É difícil estimar o peso específico desse fator, mas não há como ignorar a influência na opinião pública da projeção inédita alcançada pelo país e do imenso prestígio internacional granjeado por seu presidente. Nesse plano, mais do que qualquer outra coisa, contam para o eleitor comum dois fatos carregados de simbolismo: a escolha do Brasil como sede da Copa do Mundo de 2014, e mais ainda, a eleição do Rio de Janeiro como sede das Olimpíadas de 2016. Tendo se empenhado fortemente para garantir tal resultado, Lula recebe boa parte dos créditos por esta dupla conquista.

Mas esse é apenas o aspecto mais espetaculoso – e de impacto eleitoral mais direto – do crescente reconhecimento externo do Brasil. Nos últimos anos, as manifestações nesse sentido se multiplicam e vêm de todas as partes, o que se reflete no espaço dedicado ao Brasil na mídia internacional e no conteúdo das matérias que ela veicula.

Em grande medida, a projeção internacional decorre dos avanços internos já referidos. A galhardia no enfrentamento da crise financeira internacional rendeu muitos aplausos no exterior, mas ela veio apenas confirmar um julgamento previamente consolidado sobre o vigor da economia brasileira. Ele já estava firmado quando se deu o anúncio oficial do tamanho das reservas petrolíferas da bacia de Santos. Nesse momento, os analistas convergiam na avaliação de que a economia brasileira estava lançada em um longo ciclo de crescimento. Com quase 200 milhões de habitantes espalhados por uma massa territorial gigantesca; uma democracia vibrante, a despeito de seus conhecidos problemas; com um sistema produtivo diversificado e dinâmico; com um quadro social em melhoria lenta, mas constante, aos olhos do observador externo finalmente o Brasil parece qualificar-se para ocupar papel de relevo no concerto das nações.

Com essas anotações breves não pretendo caracterizar de forma precisa o contexto em que será travada a disputa sucessória, mas apenas sugerir alguns dos dilemas dele decorrentes para a oposição. Com efeito, diante de um presidente tão popular e de um governo com tamanha aprovação, com que plataforma se apresentar ao público? Como construir um discurso capaz de mobilizar os adeptos e atrair os votos dos indecisos?

A resposta mais óbvia é fugir ao confronto direto, evitar a todo custo a pecha de representante do passado, de crítico contumaz, opositor inconsequente e agressivo. No tocante aos temas econômicos e sociais, tudo leva a crer que, seja qual for o seu perfil, será esta a linha de conduta da chapa oposicionista.

Dependendo de quem venha a encabeçá-la, é possível que os temas interligados da sobreavaliação cambial e dos níveis exageradamente altos da taxa de juros sejam trazidos ao debate. Mas é muito improvável que venham a se transformar em eixo da campanha da oposição. Essas anomalias não são novas e têm raízes na "convenção do desenvolvimento"[1] que se consolidou no Brasil na última década do século passado, quando o governo era exercido por tucanos e pefelistas. Representações coletivas que estruturam as expectativas e o comportamento dos agentes individuais, assegurando o grau de compatibilidade necessário para que eles ajam coordenadamente, as convenções, no sentido utilizado aqui, operam como dispositivos de seleção, hierarquização e de solução de problemas, gerando sistematicamente "ganhadores" e "perdedores" nas sociedades em que vigem. Por isso mesmo, como observa Fábio Erber (2008), a cada momento vamos encontrar várias "convenções de desenvolvimento" em competição pela hegemonia. Ao fim da década de 1990 a primazia da convenção que predominou durante o governo FHC, com a proeminência correspondente dos interesses financistas, foi abalada, sem que nenhuma outra tenha logrado conquistar clara preponderância. Embora façam sentir sua presença no governo Lula – mais pesadamente no primeiro mandato do que no segundo – os interesses cristalizados em torno dela ocupam o lugar central no campo oposicionista. Assim, mesmo que o futuro candidato opositor tenha ímpetos de contestar os mecanismos responsáveis pela reprodução das referidas anomalias, ele será contido em seus arroubos por seus pares e pela sensibilidade hiperaguçada dos representantes acreditados daqueles grupos.

Seria possível imaginar um embate mais forte em outras áreas, em que o conflito de interesses é declarado e tende a ganhar facilmente coloração ideológica e política. Penso, por exemplo, no debate em torno do modelo a ser adotado no pré-sal – regime de concessão, ou de partilha? –, do lugar reservado à Petrobras, do uso da renda futura do petróleo e do papel do Estado e do mercado na destinação desses recursos. As acusações de nacionalismo estatizante foram lançadas por tecnocratas convertidos em lobistas, por comentaristas econômicos – os de sempre –, locutores televisivos e próceres da oposição logo que o projeto governamental veio a público. Mas é duvidoso que a campanha oposicionista escolha esse terreno para terçar armas contra a coalizão governamental. Por motivos também de prudência, mas de sentido oposto aos que tendem a condená-la ao silêncio na questão dos juros e do

[1] Tomo abusivamente de empréstimo a noção de um estudo penetrante de Erber (2008).

câmbio. É que defender o modelo estabelecido no passado, em nome do respeito reverencial aos contratos e da superioridade natural das "soluções de mercado" teria um preço eleitoral exorbitante, que nenhum candidato à sucessão presidencial com chance mínima de êxito se disporia a pagar.

O mesmo raciocínio vale para os programas sociais que se tornaram a imagem de marca do governo Lula. Embora, num primeiro momento, tenham suscitado críticas azedas de oposicionistas de matizes variadas, por seu caráter supostamente assistencialista – o que os assemelharia a um "programa institucional de compra de votos" –, nenhum candidato majoritário sério pensaria em pronunciar em público o que talvez diga em seus resmungos, pois sabe que estaria irremediavelmente condenado por isso.

Se essa linha de raciocínio estiver certa, a oposição no ano que vem fará uma campanha "melhorista": prometerá manter os programas de ação do governo, corrigindo falhas hoje existentes, fazendo mais, com mais competência.

A POLÍTICA EXTERNA NO DEBATE SUCESSÓRIO

Mesmo abstraindo as dificuldades criadas pelo movimento já claramente esboçado do oponente, que tentará definir a disputa sucessória em termos de acerto de contas entre dois projetos políticos igualmente provados em longas experiências de governo, a estratégia da oposição envolve um problema: a necessidade de afirmar sua identidade própria e de dar vazão ao sentimento de hostilidade disseminado em setores sociais minoritários, mas não desprezíveis, que se manifesta recorrentemente sob a forma de crítica sistemática ao governo e de ataques ofensivos à pessoa do presidente.

É sob este ângulo que o tema da política externa tende a se inscrever na disputa. Sua presença na pauta é garantida. Foi assim nas eleições de 2002, com o tema da Alca, e nas eleições de 2006, com o debate em torno da resposta brasileira à nacionalização do gás na Bolívia, e há razões de sobra para que venha a ser assim em 2010. Com efeito, seja pela prioridade que lhe foi dada no conjunto da política governamental, seja pelas circunstâncias advindas do crescente protagonismo do país – seu envolvimento na crise hondurenha é a ilustração mais acabada disso –, a política externa está na berlinda. Mas este não é o mais importante. A razão principal para a política externa afigurar-se como questão relevante no debate que se aproxima é o papel reservado a ela nos planos dos dois contendores.

Pelo lado da situação, as motivações são cristalinas: a política externa é a esfera de ação governamental em que a marca do PT – e das outras forças de esquerda da coalizão – é mais nítida. Além disso, ela se liga indissociavelmente à atuação pessoal do presidente. Falar da política externa é avançar em terreno aplainado e firme.

Para a oposição a política externa surge como uma área privilegiada porque nela o ataque direto ao governo pode ser conduzido a um custo mínimo, dada a indiferença da grande maioria da população a questões internacionais, cujas implicações para seu cotidiano são muito remotas e obscuras. No espaço reduzido do público medianamente informado sobre tais temas, a oposição confronta o governo em condições de relativo equilíbrio de forças e pode expressar sem restrições a virulência de sua crítica. Tivemos uma amostra desse fato na celeuma criada pela visita do presidente Ahmadinejad ao Brasil; na discussão em torno do acordo militar entre a Colômbia e os Estados Unidos; no debate sobre a adesão da Venezuela ao Mercosul e na polêmica sobre a conduta da diplomacia brasileira na crise de Honduras. Esses dois últimos episódios são assaz reveladores.

A polêmica sobre a incorporação da Venezuela ao Mercosul encerrou-se, com a votação da matéria pelo plenário do Senado, no dia 15 de dezembro de 2009, que deu vitória ao "sim" por oito votos (35 × 27). Foram três anos de discussão acerba, em que a retórica apaixonada falou quase sempre mais alto do que a razão. Apoiada secundariamente em objeções formais – respeito a prazos e a requisitos previamente estabelecidos para adesão –, a repulsa à Venezuela sempre foi declaradamente política. A República Bolivariana deveria ser rejeitada pela conduta desagregadora de seu presidente, que alimenta um antagonismo estéril com os Estados Unidos, promove a cizânia em seu país e nas relações deste com os vizinhos, incita o radicalismo por toda parte e manifesta sonhos megalomaníacos de hegemonia. Como aceitar um sócio como este e muni-lo de poder para bloquear, com seu voto, qualquer negociação comercial que contrarie seus obscuros desígnios? A Venezuela de Chávez transforma a violação dos contratos em rotina administrativa, produzindo insegurança nas relações jurídicas entre agentes domésticos e nas transações internacionais do país – seu ingresso no Mercosul apenas agravaria os problemas não pequenos que o bloco vem enfrentando já há algum tempo. Pior: admitir um regime que cerceia oposição, desrespeita a liberdade de imprensa, viola os direitos humanos e converte em lei maior do país o arbítrio do líder populista seria trair o compromisso democrático inscrito nos documentos fundadores do Mercosul.

O parecer apresentado pelo senador Tasso Jereissati, depois de várias sessões de consultas realizadas pela comissão de Relações Exteriores e Defesa Nacional, aborda um aspecto em geral quase de todo ausente no discurso público dos opositores: a importância cada vez maior das relações econômicas com a Venezuela, para o Brasil. "O comércio com a Venezuela foi o que mais contribuiu para o superávit da balança comercial brasileira em 2008: 18% do saldo brasileiro vêm das exportações para aquele país vizinho" (Jereissati, 2009). Nesse ano, elas ascenderam a 5,15 bilhões de dólares. Marcadamente favorável ao Brasil, o comércio entre os dois países teve um crescimento acumulado de 885% nos últimos dez anos. O comércio com os parceiros do Mercosul expande-se muito mais lentamente – 76% entre 2001 e 2006. A discrepância não surpreende, pois a base de cálculo no primeiro caso era muito reduzida. Mas, dona de um PIB de 300 bilhões de dólares, a Venezuela ainda é um mercado em acelerada expansão para os produtos brasileiros. E não só isso. Ela atrai igualmente nossas empresas, especialmente na área de construção pesada. Há, por fim, as enormes possibilidades que seriam abertas pela integração da Venezuela em um acordo regional sobre energia.

O relatório reconhece esses aspectos, centrais na argumentação do governo, mas não se detém neles. Limita-se a formular alguns comentários para diminuir sua importância e passa rapidamente aos questionamentos técnico-jurídicos e à denúncia do caráter supostamente autocrático do regime, em que retoma, em tom algo mais sóbrio, a retórica conhecida da oposição.[2]

As palavras inflamadas voltam nos discursos feitos em plenário. Em ambos os casos, a mesma deturpação dos fatos da política interna venezuelana: o golpe contra Chávez não existiu, tampouco o boicote que paralisou o país por mais de um mês; o governo tem o controle total do legislativo porque é autoritário, e não em virtude do erro de cálculo de uma oposição desesperada, que resolveu boicotar as eleições, porque apostou até o fim em sua capacidade de derrubar o presidente; o país vive sob o manto de uma ditadura opressiva, mas as manifestações da oposição se repetem e levam multidões às ruas; a liberdade de imprensa foi sufocada, mas a oposição se exerce muito mais por meio de jornais e canais de televisão do que de partidos políticos.

Em ambos os casos, também, o mesmo silêncio a respeito das consequências dos atos que preconizam. Quais os efeitos da decisão de barrar a Venezuela? Como afetariam as relações econômicas entre os países? O parecer do senador Jereissati (2009) dá uma indicação a esse respeito:

> Hoje o Brasil tem acesso ao mercado venezuelano graças a uma herança de preferências que pertenciam ao Pacto Andino que deixaram de viger quando a Venezuela deixou a Comunidade Andina. Quando essas preferências terminarem, em 2011, se a Venezuela não estiver no Mercosul, os veículos brasileiros, que atualmente pagam 21% de tributos, passarão a pagar 35%, um aumento quase proibitivo a esse intercâmbio.

E os outros produtos? O parecer não analisa a informação que fornece, nem aquilata a importância dela para o conjunto das exportações brasileiras.

---

[2] Para uma excelente análise crítica desse documento cf. edição especial: Adesão da Venezuela ao Mercosul, *Newsletter Necon*, n.12. Núcleo de Estudos sobre o Congresso. Disponível em: <http://necon.iuperj.br>.

Mas isso é o de menos. Quais as consequências políticas da rejeição da Venezuela? Qual a contribuição dessa escolha para a dissipação das tensões entre países vizinhos e para a estabilidade das relações políticas na região? Em que medida e de que forma esse gesto favoreceria a causa da democracia?

Os políticos da oposição votaram contra a Venezuela em nome dos princípios democráticos. Chega a ser engraçado ver o desconforto desses puristas de ocasião diante do prefeito de Caracas, o líder oposicionista Antonio Ledezma, que defendeu a admissão da Venezuela no Mercosul, em depoimento na comissão de Relações Exteriores e Defesa Nacional do Senado brasileiro, expressando os anseios de seus eleitores e correligionários.

Nada mais esclarecedor do que um tema atrás do outro: a passagem da Venezuela a Honduras evidencia a duplicidade moral da oposição. Naturalmente, seus representantes políticos e intelectuais condenaram a violência cometida no dia 28 de junho – aquele domingo aziago em que o presidente de Honduras, Manuel Zelaya Duarte, foi despejado de um avião militar, descalço e de pijamas, no aeroporto de San José, na Costa Rica. Interpelados, chegavam a admitir a correção da atitude adotada pelo governo Lula...

É verdade, faziam isso contrafeitos, como se percebe no visível incômodo do ex-ministro Celso Lafer ao responder à pergunta sobre o tema, em longa entrevista dada poucos dias depois do golpe em Honduras.

> Como está vendo a atuação brasileira diante do golpe em Honduras?
> É cedo para dizer, porque a situação está se desenrolando. O governo brasileiro agiu bem ao condenar o golpismo. Mas é inaceitável o tratamento que dispensa ao Irã de Ahmadinejad. (Greenhalgh; Tavares, 2009)

O entrevistado despacha o assunto assim, sumariamente: uma frase, duas orações e a adversativa que joga a conversa para outro tema.

Não importa: com maior ou menor veemência, a oposição associou-se ao governo na rejeição ao golpe. Naquele momento, o repúdio ao ato de força era universal. Denunciada à primeira hora por seus aliados, a começar por Hugo Chávez, a deposição de Zelaya foi repelida enfaticamente por Obama, que reforçou a manifestação muito mais tímida de sua secretária de Estado Hillary Clinton, com essas palavras incomuns na boca do presidente do Estado que patrocinou tantos golpes no continente.

> O presidente Zelaya foi eleito democraticamente. Ele ainda não havia completado seu mandato. Nós acreditamos que o golpe não foi legal e que o presidente Zelaya continua o presidente de Honduras.

No mesmo pronunciamento, Obama afirmou que, se fosse o primeiro passo de volta a "uma era em que víamos os golpes militares, em vez de eleições democráticas, como meios de transição política" a destituição de

Zelaya estabeleceria um "precedente terrível", arrematando: "Não queremos voltar a um passado escuro" (*Remarks By President Obama and President Uribe of Colombia in Joint Availability*, 2009).

Não obstante a contundência da oratória, foi a cautela que ditou a conduta do governo norte-americano na crise. Abstendo-se de empregar o enorme poder de pressão que tinha em mãos contra os golpistas, optou por manter discrição, dando preferência à atuação por intermédio da OEA e de outras organizações internacionais. Essa atitude já se externava na entrevista de Obama, o qual, alguns dias mais tarde, qualificaria de hipócritas os apelos para que se adotassem sanções mais pesadas contra o governo de Micheletti – como criticar o exercício passado da hegemonia na região e, ao mesmo tempo, pedir dos Estados Unidos uma intervenção direta nos assuntos internos de Honduras?

Os fatos que se sucederam a partir daí são conhecidos: a suspensão de Honduras pela OEA; a viagem frustrada do grupo liderado pelo presidente da entidade, José Miguel Inzulsa, a Tegucigalpa; as repetidas tentativas de retorno de Zelaya a seu país; a designação de Oscar Arias, presidente da Costa Rica e prêmio Nobel da Paz, como mediador pela secretária de Estado Hillary Clinton; o documento preparado por Arias, depois de negociações tensas entre os representantes das partes, que passou a ser conhecido como "pacto de San José". Muitos gestos, muitas palavras, avanços mínimos. O tempo passava e a posição do governo Micheletti mantinha-se irredutível: o primeiro ponto do acordo proposto – a volta, ainda que meramente simbólica, de Zelaya, era inaceitável por questão de princípio.

A situação parecia encaminhar-se para o desfecho visado pelos golpistas: realização das eleições gerais em 29 de novembro, como previsto no calendário eleitoral, protestos aqui e ali, mas, por fim, a aceitação generalizada do fato consumado. Com isso, o "terrível precedente" de que falara Obama estaria aberto. Mas Honduras é um país muito pequeno e demasiadamente distante de nossas fronteiras. No Brasil, os acontecimentos que se desenrolavam por lá eram acompanhados distraidamente, sem despertar emoções mais fortes.

Em 21 de setembro, o aparecimento de Zelaya na sede de nossa representação diplomática em Tegucigalpa mudou inteiramente esse quadro. Com sua embaixada, sem luz e sem água, cercada por soldados hondurenhos, subitamente o Brasil se via no olho do tufão: a partir daí, a crise hondurenha foi internalizada como tema de política brasileira.

Os termos de debate desencadeado por esse fato são conhecidos. "Não devo explicações a golpistas" – foi a resposta ríspida de Lula ao ultimato de Roberto Micheletti, suavemente tratado como "presidente de fato" pela grande imprensa de nosso país. Micheletti havia concedido dez dias ao governo brasileiro para definir o status jurídico de Zelaya: ou o enquadrava na categoria de asilado, tomando as devidas medidas para cercear suas atividades políticas, ou o entregava à justiça, para que respondesse por seus crimes. Se a exigência não fosse cumprida dentro do prazo, o governo de Honduras desacreditaria a embaixada brasileira, abrindo a possibilidade formal – segundo o douto parecer de juristas pátrios – de invasão do estabelecimento para executar o mandato de detenção emitido pela Suprema Corte de Honduras.[3] Ao repelir fortemente a chantagem, Lula reiterava a definição dada pelo Brasil e pela quase totalidade da "comunidade internacional" a ambos: Zelaya continuava em sua condição de presidente constitucionalmente eleito, e Micheltti não passava de um golpista.

Os nomes mais representativos da oposição não atacavam frontalmente esse entendimento, mas reprovavam em termos duros o tratamento dispensado ao presidente caído, que teria transformado a embaixada brasileira em quartel-general de seu movimento político. "O comportamento do governo brasileiro no episódio do retorno de Zelaya [...] contraria um dos princípios cardeais da política externa brasileira: o da não intervenção" – sentenciava o embaixador Rubens Barbosa, um dos críticos mais ferrenhos do Itamaraty e coordenador, em 2006, da proposta de política externa contida no programa de governo de Geraldo Alckmin (Barbosa, 2009). O ex-ministro Celso Lafer manifestava plena concordância com esse juízo, e agregava "[...] o único enquadramento possível para o mandatário deposto é de asilado político, e, neste caso, o espaço dado pelo Brasil para manifestações políticas consiste em intervenção nos assuntos internos de Honduras sem mandato, que só poderia ser concedido pela OEA". Ao agir assim – explicava – o Brasil infringia a convenção Interamericana de Caracas, de 1954, que obriga o Estado concedente a tomar providências para que o asilado não venha a "praticar atos contrários à tranquilidade pública nem intervir na política interna" (Hennemann, 2009). Silenciando-se sobre a forma, na substância ambos apoiam, como se vê, a posição do governo golpista.

A quebra do princípio da não intervenção seria ainda mais grave, porquanto a alegada surpresa da diplomacia brasileira diante do movimento efetuado pelo presidente deposto era risível. "Acreditar na aparição inesperada de Zelaya à porta da embaixada exige uma credulidade imensa. É até possível que tenha havido uma sondagem rápida à qual o Itamaraty respondeu positivamente, talvez percebendo uma oportunidade de triunfo diplomático." Essa hipótese, sugerida no corpo do artigo assinado pelo ex-ministro Luis Filipe Lampreia (2009), estava presente, como certeza, desde o início de sua discussão: "Esta é a pergunta que todos os observadores se fazem: por que o Itamaraty decidiu dar refúgio a Zelaya?"

A peça de acusação estava completa: o Itamaraty viola normas do direito internacional e afasta-se de nossa tradição diplomática ao se envolver voluntariamente na crise hondurenha. Não há nada a ganhar com isso – "uma

[3] Charleaux (2009). Matéria que transcreve declarações da professora de direito internacional da USP, Maristela Basso.

trapalhada", como José Serra disse ("Serra vê 'trapalhada'; Sarney critica uso político da missão", 2009).

Mais tarde ganharia espaço na imprensa brasileira a versão segundo a qual não houve golpe nenhum em Honduras – Zelaya teria sido destituído em estrita observância à lei vigente, por ato do Congresso respaldado em decisão da mais alta corte do país, que o condenou por grave ofensa à Constituição; a única ilegalidade em todo o procedimento teria sido sua expulsão do país.

Não caberia entrar nesse debate. Bastaria observar que os defensores dessa posição repetem os argumentos formulados desde a primeira hora por juristas da direita norte-americana, cujo ponto de vista foi sistematizado em parecer controverso de órgão consultivo do Congresso norte-americano. E que eles desconhecem todas as circunstâncias que envolveram a ação naquele domingo fatídico – mobilização de tropas, corte de luz, toque de recolher, detenções etc. Seria o caso de dizer: tem tromba de elefante, corpo de elefante, pata de elefante, mas não é elefante... porque usa brincos.[4]

Esse aspecto é claramente adjetivo, ou todas as condenações ao golpe e toda a movimentação diplomática com vistas à construção de um compromisso que pusesse fim à crise seriam desprovidas de sentido. O significado político do golpe foi bem definido na entrevista do presidente dos Estados Unidos. A esse respeito, conviria acrescentar apenas a advertência grave de Rigoberta Manchú Tum (2009), a ativista indígena, agraciada com o Prêmio Nobel da Paz em 1992:

> As lembranças das ditaduras do passado não estão mortas, os donos das ditaduras na América Latina estão totalmente vivos, posicionados, com mais força econômica e com mais força política.
>
> Preocupa-nos o futuro de nossos filhos e de nossas instituições. Um dia desses, qualquer louco vai decidir "não gosto deste governo", e o derrubam, se legitimam e o entregam a Deus, porque essa é uma das características dos golpes nesta região.

[4] O parecer foi questionado pelo presidente do Comitê de Relações Exteriores do Senado, o ex-candidato democrata à Presidência da República, John Kerry, e pelo presidente do painel de Relações Exteriores da Câmara, Howard Berman, que cobraram sua reformulação em vista dos muitos erros factuais e analíticos nele contidos. A formulação tautológica que encerra o documento diz bem de sua duvidosa qualidade. "As fontes disponíveis indicam que o Judiciário e o Legislativo aplicaram leis constitucionais e estatutárias no caso contra o presidente Zelaya de uma forma que foi considerada pelas autoridades hondurenhas, de ambos os ramos do governo, de acordo com o sistema legal hondurenho." (*"Available sources indicate that the judicial and legislative branches applied constitutional and statutory law in the case against President Zelaya in a manner that was judged by the Honduran authorities from both branches of the government to be in accordance with the Honduran legal system."*). The Law Library of Congress. Directorate of Legal Research. Report for Congress. Honduras: Constitutional Law Issues. LL File N. 2009-002965. August, 2009. Para uma crítica detalhada desse relatório, Cf. Herrera, . O ponto de vista legal da direita norte-americana foi exposto originalmente no artigo de Estrada (2009).

Quanto ao sentido político da volta de Zelaya, ele foi identificado de forma precisa pelo editorial do insuspeito *Estadão*:

> A aparição do deposto presidente hondurenho Manuel Zelaya na Embaixada do Brasil em Tegucigalpa foi – sem jogo de palavras – um golpe para o regime que se instalou no país em 28 de junho. Agora, o jogo está feito e a equação política do país muda irremediavelmente. Ou o governo *de facto* aceita o Pacto de San José e se retira de cena, ou tenta se manter e praticamente estimula a eclosão de distúrbios de rua que terão tudo para terminar em derramamento de sangue (A volta de Zelaya, 2009).

Houve sangue em Honduras, como sabemos, mas o governo Micheletti suportou todas as pressões. Pôde fazer isso porque não estava sozinho. Desde o início, contou com o apoio militante da direita republicana nos Estados Unidos, para a qual a resposta de Obama à crise em Honduras era algo muito próximo da traição. Na ótica dessa força política, a América Latina reedita, com outros personagens, o confronto que estruturou a política mundial durante a Guerra Fria: a luta entre a tirania – representada, no caso, pelos regimes castrista e bolivarianos – e a democracia. Em nome dessa visão dicotômica, os representantes políticos e intelectuais desse campo celebraram o golpe em Honduras como uma vitória da boa causa e empregaram todos os meios ao seu alcance a fim de conter os movimentos do governo Obama para se livrar das amarras de tal esquematismo – entre eles o envio de missões de congressistas a Honduras para ouvir as razões dos golpistas e o bloqueio da decisão final no Senado sobre os nomes escolhidos para os postos mais importantes da diplomacia dos Estados Unidos na região.[5]

O êxito da estratégia protelatória de Micheletti foi facilitado também pela simpatia mal disfarçada que ela despertava em setores do *establishment* democrata, com forte presença no Departamento de Estado, que viam a eleição de 29 de novembro como a forma mais fácil e menos dolorosa de sair da crise hondurenha sem perder a face. Como essa solução foi tida por inaceitável pelo Brasil (e pela esmagadora maioria dos países latino-americanos, convém dizer), a fricção com os Estados Unidos estava criada. O que tende a manter o tema de Honduras na agenda da política brasileira.

* * *

[5] Os títulos das matérias publicadas na imprensa conservadora na ocasião dão ao leitor uma ideia viva do teor da interpretação predominante nesse campo. Cf. Daremblum (2009); "The Wages of Chavismo. The Honduran coup is a reaction to Chávez's rule by the mob". *The Wall Street Journal*, 2009; Ramos-Mrosovsky; Raymer (2009); "Obama sides with Chavez, Castro against Honduran democracy". *Examiner*, 2009; "Obama stands with tyrants". *The Washington Times*, 2009.

Venezuela e Honduras – tomada de posição sobre um processo de longo prazo; resposta quente a uma situação de crise. Combinados, esses dois episódios falam bastante da atitude da oposição no tocante à política externa e dão pistas valiosas sobre o tratamento provável do tema nas eleições do próximo ano.

* * *

Afirmei anteriormente que a campanha da oposição seria "melhorista". Não será exatamente assim. Na verdade, ela terá um caráter bifronte: para a grande massa de eleitores, a mensagem será de continuidade; para o público fiel, o discurso será catastrofista. O ex-presidente Fernando Henrique Cardoso deu o mote: estamos na antessala de um autoritarismo de novo tipo. E alguns comentaristas vão além e falam em prenúncios do totalitarismo.

A política externa compõe esse quadro sombrio: ao emprestar seu apoio a autocratas como Chávez e seus aprendizes, ao aproximar-se de um pária como Ahmadinejad, o governo Lula faz mais do que cometer um erro de consequências nocivas para a imagem do país; ele revela a disposição íntima de seus dirigentes e indica o futuro que nos espera se não soubermos reagir.

O problema com esta mensagem é que ela mimetiza o que há de mais rançoso no discurso da direita, dentro e fora do país. Aqui, como em outros países latino-americanos, esse discurso poderia ser denunciado como oligárquico e antinacional – o que tenderia a nos levar a um quadro de polarização semelhante ao que se produz nos países andinos. Mas o Brasil não é a Venezuela ou a Bolívia. Sua sociedade é muito mais complexa e integrada, e a política externa – cujos vetores encontram correspondência em interesses importantes sediados na esfera da economia – é um reflexo disso. Não creio, portanto, que venhamos a assistir a uma escalada no conflito entre governo e oposição, com ações crescentemente radicalizadas que façam *tabula rasa* das instituições. Comprovada essa hipótese, o embate se dará no campo da disputa pelo voto, e aí a prevalência será dos fatores que puxam para o centro, moderando o conflito.

POLÍTICA EXTERNA, ELEIÇÕES E DISPUTA HEGEMÔNICA

No artigo referido precedentemente, Fernando Henrique Cardoso advertiu seus leitores de que o governo Lula estaria formando um "bloco de poder", cuja expressão política seria um novo tipo (popular) de autoritarismo, mais brando do que o "antigo autoritarismo militar" – pois ele não prende nem tortura –, porém mais insidioso, pois ele "'mata moralmente' (ah, como a fala nos trai!) quem o critica". Em suas palavras:

> Devastados os partidos, se Dilma ganhar as eleições sobrará um subperonismo (o lulismo) contagiando os dóceis fragmentos partidários, uma burocracia sindical aninhada no Estado e, como base do bloco de poder, a força dos fundos de pensão.
>
> Partidos fracos, sindicatos fortes, fundos de pensão convergindo com os interesses de um partido no governo e para eles atraindo sócios privados privilegiados, eis o bloco sobre o qual o subperonismo lulista se sustentará no futuro, se ganhar as eleições. (Cardoso, 2007)

A escolha do termo é curiosa: "bloco de poder" evoca a noção introduzida pelo marxista greco-francês Nicos Poulantzas para caracterizar a composição de classe do Estado em diferentes configurações da luta de classes e distintas etapas do desenvolvimento capitalista. Poulantzas emprega o termo para salientar a relação estrutural entre Estado e burguesia, bem como a divisão constitutiva desta, cuja unidade política se constrói pela ação do Estado sob a direção da fração que detém a hegemonia. Basta esta indicação sumária para evidenciar que, ao falar em "bloco de poder" o ex-presidente não queria dizer bem isso.

É possível que tivesse em mente a ideia subentendida na declaração sobre o projeto de poder de trinta anos dos tucanos, feita pelo espaçoso Sergio Motta, seu ministro das Comunicações: uma forma de articulação particular entre economia e política apoiada em uma aliança entre classes e elites dirigentes, suficientemente ampla e estável para sobreviver a sucessivas mudanças de governo e à dança dos partidos.

Ou talvez não tenha pensado em nada além do que disse, limitando-se a fixar no texto a expressão que lhe ocorreu no momento, por lhe parecer adequada ao propósito político de seu artigo.

Seja como for, a referência é oportuna porque enseja uma reflexão mais detida sobre as relações entre governo e oposição e o lugar do Brasil no mundo.

Depois de longo ciclo de crescimento sob o regime militar, o Brasil ingressou na década de 1980 mergulhado em profunda crise econômica e em fase de transição política. As manifestações mais contundentes dessa combinação explosiva foram, no plano econômico, a queda acentuada nos índices históricos de crescimento médio e a inflação desenfreada; na esfera política, o processo agudo de polarização que desaguou nas eleições presidenciais de 1989, depois de ter marcado profundamente o trabalho da Constituinte.

A vitória de Collor de Mello coincidiu quase exatamente com a queda do Muro de Berlim. É sob o signo desse duplo desfecho que as reformas liberais seriam aplicadas no Brasil: um governo com sustentação partidária extremamente frágil, mas com poderes excepcionais para enfrentar uma situação catastrófica de crise econômica; um mundo atordoado pela decomposição súbita do bloco soviético e a pujança incontrastável dos Estados Unidos.

A carreira do *condottiere* foi curta, mas intensa. Ele deixou como herança uma política de estabilização fracassada e um programa de reformas de longo prazo a meio caminho. Com apoios políticos incomparavelmente mais sólidos, Fernando Henrique Cardoso tomou o bastão e deu prosseguimento ao trabalho – primeiro como ministro, depois como presidente –, de forma mais metódica e com menor radicalismo. Somados os dois períodos, foram quase dez anos de comando ininterrupto. Nesse meio tempo, a inflação foi debelada e a economia brasileira conheceu mudanças profundas.

A orientação da política externa também mudou sensivelmente nesse período. Preservado o universalismo de nossa tradição diplomática, seus dirigentes abandonaram a atitude reativa que marcou a conduta externa do país em passado recente e tomaram um rumo que foi caracterizado por muitos analistas como o da "busca da autonomia pela integração". Nisso foram em muito ajudados pela prevalência do "internacionalismo liberal" na retórica, ainda que nem sempre na prática, do governo Clinton.

Os dois planos – interno e externo – casavam-se harmoniosamente e a certa altura a realização da profecia de Sergio Motta pareceu garantida.

Mas vieram então os imprevistos. As crises financeiras internacionais que forçaram a quebra do regime de câmbio e, pouco depois, o colapso do sistema de energia elétrica, desnudando um dos pontos mais vulneráveis do modelo: os baixos níveis de investimento agregado e a consequente degradação da infraestrutura.

A vitória de Lula em 2002 dramatizou outra fragilidade do esquema político em vigor: seu caráter socialmente excludente, expresso com nitidez nas prioridades do governo Fernando Henrique Cardoso, em suas relações conflituosas com os grupos sociais organizados e em sua parca capacidade de comunicação com as parcelas mais desfavorecidas da população.

Desmentindo os prognósticos dos derrotados, a eleição de Lula não precipitou o país em trajetória de crise. Pelo contrário, mantido o compromisso com a estabilidade monetária, seu governo empenhou-se em reconstruir a capacidade de gestão do Estado, seriamente dilapidada no período anterior, e adotou medidas inteligentes que romperam a suposta barreira do "produto potencial", conceito repetido como um mantra pelos economistas do "mercado", com o efeito de uma camisa de força.

Fez isso mediante ação refletida com objetivo de mitigar conflitos e encontrar soluções negociadas para os problemas. À direita e à esquerda, os críticos do governo Lula falam em continuidade. Mas o segredo de seu êxito está na forma como logrou combinar continuidade e mudança.

Essa afirmação aplica-se à aliança social que se expressa no governo Lula. Ela não exclui os interesses que estavam aninhados no núcleo da situação passada. Mas diminui sua ascendência, ao retirar-lhes a prerrogativa de dizer a última palavra e ao inseri-los em uma coalizão muito mais ampla e mais diversificada. Seus opositores não erram ao falar em "bloco de poder", mas ele é incomparavelmente mais vasto e mais "orgânico" do que deixa entrever a caricatura desenhada por Fernando Henrique Cardoso naquele artigo.

Frisar esse fato em uma análise do debate sobre a política externa importa porque ele aponta para uma carência importante no discurso da oposição.

Como vimos, desde o primeiro momento os opositores atacaram fortemente a política externa do governo Lula e tendem a aumentar a carga no decorrer da próxima campanha. Mas nunca foram além da crítica negativa e dispersa, que denuncia erros e desvios, eximindo-se de formular uma estratégia alternativa. O máximo que fazem, nesse sentido, é remeter às coordenadas da política externa do governo passado. Mas, como dizia o poeta, "o tempo não para": o Brasil mudou, o mundo mudou, e aquela política não responde mais aos desafios da época.

Falei ainda há pouco em imprevisto. Nenhum deles foi tão grande quanto o ataque ao World Trade Center e ao Pentágono, em 11 de setembro de 2001, com seus desdobramentos: a guinada messiânica na política externa dos Estados Unidos, as guerras do Afeganistão e do Iraque que provocaram forte hemorragia no poder americano, até hoje não estancada. Outro evento de enormes consequências sistêmicas foi a crise financeira internacional, que estourou no centro nevrálgico do capitalismo financeiro mundial e desnudou a fragilidade econômica da potência hegemônica.

Outras mudanças, menos dramáticas, mas de suma importância, foram, de um lado, a reconstituição do poder russo e a crescente desenvoltura com que ele passa a agir em seu entorno; de outro, a trajetória meteórica da China. Em outro plano, a virada à esquerda observada, desde o fim da década passada, na América Latina; o agravamento das tensões entre países vizinhos; a ampliação da presença militar dos Estados Unidos e a crescente influência econômica da China na região. Isoladamente e em conjunto, esses elementos têm forte incidência no processo de integração regional, um dos principais vetores da política externa brasileira desde o fim da década de 1980.

Igualmente significativo para a atuação externa do país foi o prolongado impasse nas negociações multilaterais sobre o comércio e a erosão evidente da capacidade de liderança dos Estados Unidos, nesta e em outras arenas.

Para um país ascendente como o Brasil, com a soma de seus recursos e a gama de seus problemas, como se conduzir neste mundo em transformação? Digam o que disserem os críticos, a política externa do governo Lula tem um norte: a visão de um sistema de poder multipolar, no qual o Brasil se insere sem alarde, mas com a firmeza derivada da consciência de suas credenciais para participar qualificadamente das decisões sobre os temas mais importantes na agenda internacional.

Mas, qual a grande visão de seus críticos? Como eles concebem as relações de poder nos dias de hoje? Como definem os objetivos do Brasil no longo prazo? Qual o papel, em seu entender, do Brasil no mundo?

No passado, quando estavam na condução da política exterior, alguns desses críticos ensaiaram respostas gerais para questões desse tipo. Formularam, então, noções como as de "concerto aberto" e "polaridades indefinidas", elaborando com ajuda delas representações abrangentes e relativamente integradas do contexto sobre o qual agiam.

Contudo, a pertinência dessas noções no mundo atual é no mínimo discutível. Se os críticos da política externa do governo Lula acreditam que elas continuam operativas, que implicações práticas extraem dessas noções? Em caso contrário, em que bases intelectuais se apoiam? Quais os elementos de que dispõem para formular uma estratégia alternativa? Aqui e ali, encontramos ensaios de reflexões mais amplas, que fornecem indicações nesse sentido.[6] Mas elas nem de longe preenchem a lacuna.

A pobreza do debate estratégico nesse campo nos deixa no escuro. Não sabemos como a oposição entende o quadro internacional presente e – se chegasse ao governo – que rumos tomaria.

Esse fato tem consequências sérias. Na ausência de definições, a oposição se condena ao discurso reativo da pequena política e se torna caudatária de seus segmentos mais retrógrados e menos representativos.

[6] Cf., por exemplo, o artigo de Cardoso (2007), em que o autor faz um balanço da situação mundial e latino-americana quarenta anos depois da publicação do livro sobre a dependência, que escreveu com Enzo Faletto; e a conferência intitulada *¿Integración en América Latina?*, feita pelo ex-ministro Rubens Ricúpero na Reunião de Embaixadores do Peru, em 2 de julho de 2009. O texto está disponível em rede, no site Gramsci e o Brasil <www.gramsci.org>.

9
Reflexões sobre o tema da inserção internacional dos países de língua portuguesa*

Invertendo a ordem dos termos acoplados no título deste texto, começarei com um pequeno exercício de dúvida metódica. Nele, vou desconhecer propositadamente tudo que sei sobre os laços que ligam os países lusófonos uns aos outros, de muitas maneiras, para abrir espaço à ingenuidade desta pergunta: para além do traço genérico – a convergência linguística – é possível pensar "sociedades lusófonas" como um coletivo real, ou, alternativamente, como um conceito operatório, de caráter estratégico?

Ao formular a questão nesses termos, é fácil perceber que sua resposta está longe de ser evidente.

As dúvidas já começam quando pensamos na característica que serve de recorte para esse coletivo. O português pode ser tido como a língua materna da população inteira de Portugal (estou deixando de fora o contingente hoje não desprezível de imigrantes) e de quase toda a população brasileira. Mas o mesmo não pode ser afirmado a respeito dos países lusófonos da África. Em todos eles, o português é a língua oficial, mas apenas uma minoria mais ou menos reduzida o tem como primeira língua e vastas parcelas da população – principalmente no universo feminino e no mundo rural – são incapazes de empregá-lo como meio de comunicação de maneira hábil.

As dúvidas ficam ainda mais fortes quando dirigimos nosso olhar para o tecido das relações econômicas, terreno dos interesses materiais. Naturalmente, esses países comerciam entre si e alimentam assimetricamente fluxos cruzados de investimento externo. Mas não há nada de especial entre eles

* Comunicação apresentada no X Congresso Luso-Afro-Brasileiro: Sociedades Desiguais e Paradigmas em Confronto. Universidade do Minho/Instituto de Ciência Social. Braga-Portugal. 4-7 de fevereiro de 2009.

nesse plano. Portugal mantém relações comerciais muito mais densas com seus parceiros da União Europeia – segundo os dados da OMC, destino de 72% de suas exportações. O Brasil opera uma rede de relações comerciais muito mais diversificada, sendo frequentemente qualificado por isso de *global trader*. Mas seus parceiros principais são, pela ordem, os países da Aladi, a União Europeia e os Estados Unidos. Para que se tenha uma ideia mais nítida do significado desse fato, convém registrar que a Argentina absorveu, em 2007, 9% das exportações brasileiras e a Venezuela sozinha, quase 3%. Juntos, esses dois países compraram do Brasil um valor mais de duas vezes maior do que toda a África subsaariana.

Poderíamos dizer algo similar dos países africanos de língua portuguesa – penso, sobretudo, em Angola e Moçambique, que se ligam com intensidade crescente a outros centros: a China (no caso de Angola); a África do Sul e, novamente, a China, no caso de Moçambique.

Mas a economia não é tudo, e no tema em questão não é o principal. Na vertebração do coletivo formado pelos países de língua portuguesa, o que conta em primeiro lugar – seria possível contra-argumentar – é o passado compartilhado, as afinidades culturais, o estoque de memórias entretecidas. Esta ideia que, desde os anos 1960 tem inspirado a diplomacia brasileira em suas iniciativas mais ousadas em relação à África, foi formulada pioneiramente por Gilberto Freyre; é ela que sustenta o esforço gigantesco expresso na obra monumental de Alberto da Costa e Silva.

Com outros historiadores brasileiros, esse autor chama-nos a atenção para este aspecto capital no relacionamento entre Brasil e África. Não se trata apenas da presença africana na formação econômica e cultural do Brasil: pela ação de seus mercadores, que contribuíram fortemente para a criação e conservação dos circuitos do "tráfico de viventes", o Brasil aparece como um elemento constitutivo também da história da África.

Portugal–Brasil–África. Fecha-se o círculo, e o contra-argumento se completa. Mas ele não nos ajuda muito, pois o passado comum, ao mesmo tempo que une, separa. Isso não vale apenas para a memória, ainda recente no tocante aos países africanos, da luta anticolonial. O lado sombrio do passado que acabo de evocar continua marcando fortemente a sociedade brasileira, na forma de um padrão de distribuição de renda e riqueza dos mais iníquos do mundo. Padrão que se repõe secularmente em uma sociedade em que a grande maioria dos destituídos tem um ou os dois pés na África.

Quando seguimos nesta linha de raciocínio, somos levados a assimilar o ceticismo dos críticos cosmopolitas da política externa brasileira, concluindo com eles que essa comunidade de países lusófonos não existe e – considerada, ademais, a reduzida capacidade de projeção de poder dos países envolvidos – tampouco pode servir de plataforma efetiva para a ação político-diplomática.

Mas, se pararmos para pensar um pouco, veremos que os elementos até aqui arrolados, quando contemplados em perspectiva diversa, abrem caminho para outra possibilidade.

Tome-se a título de exemplo a situação do idioma português na África. Em 1975, quando da Independência, os falantes de português não alcançavam 10% da população total de Moçambique; cinco anos depois, em 1980, menos de 2% dos moçambicanos tinham o português como língua materna. Contudo, dezessete anos mais tarde, o primeiro levantamento censitário de Moçambique revelou que o número de falantes de português havia aumentado para 40%, dos quais 6% tinham esse idioma como sua primeira língua.

Com todo o cuidado para evitar qualquer idealização desses resultados, convém registrar brevemente o que ocorreu nesse interregno: o fim de uma guerra civil de efeitos devastadores para a economia e o povo de Moçambique; a transição política para um regime que consagra o princípio da competição eleitoral; a ampliação do sistema escolar, com a redução consequente das taxas de analfabetismo. E não é só: depois de anos de estagnação econômica, o início de um longo ciclo de crescimento acelerado.

Não tenho tempo para desenvolver melhor a ideia, mas no fundo ela é bem simples: à medida que avancem o processo de transformação econômica e a elevação dos níveis de integração social, o português – hoje língua oficial – tenderá a se converter em língua nacional nos países lusófonos da África. Com o que deixa de valer a primeira das condições contempladas no rápido exame que fizemos aqui.

Tomemos outra: as marcas do passado colonial que se refletem nas agruras vividas por tantos brasileiros de pele escura. Esse tema passou a ocupar um lugar central na agenda política brasileira. O governo Lula – tanto em geral como sua diplomacia em particular – percebe que essa nódoa opera como um obstáculo a estorvar permanentemente as tentativas de aprofundamento de nossos laços com a África. Este último não é o objetivo visado, mas é uma razão a mais para seu compromisso com a implementação de políticas focalizadas de promoção social com base em critérios supostamente étnicos: diferentes modalidades de "ação afirmativa", em particular a política de cotas.

Eu, como vários dos colegas presentes neste congresso, tenho uma posição muito crítica em relação a tais políticas. No meu juízo, o resgate da população de cor – permitam-me o eufemismo – no Brasil só ocorrerá por efeito de políticas bem-sucedidas de crescimento econômico, com a eliminação da miséria, o combate efetivo à pobreza e a drástica redução das desigualdades de renda e propriedade. Quando – e se – isto se produzir, o Brasil aparecerá aos olhos de todos, em todas as esferas de atividades, como aquilo que ele é de verdade: um país mestiço, multicolorido, como surge em sua imagem projetada por nossos jogadores de futebol.

Com isso, cai por terra igualmente a terceira das condições antes consideradas.

Difusão do português; força do passado. Não deve ter escapado a ninguém o elemento comum presente nos dois últimos comentários: eles não se referem a estados de coisas dados, mas a "tendências", "requisitos", possibilidades normativamente afirmadas.

O tempo limitado me obriga a dar saltos, mas creio já estar de posse dos elementos necessários para enunciar a conclusão do argumento geral desta parte: podemos falar em "países de língua portuguesa" ou "sociedades lusófonas" como coletivos se com esses termos quisermos designar um conceito prefigurativo, uma noção que alude à realidade existente, mas só para tomá-la como matéria-prima de um projeto.

Terei de correr muito para dizer alguma coisa sobre o outro aspecto do tema. Parto aqui da conhecida ideia formulada originalmente por Wallerstein da economia-mundo capitalista como um sistema de relações mercantis regido por um processo tendencialmente global de divisão social do trabalho, que se desenvolve no contexto de uma organização política fragmentada, em que vige o princípio da soberania. Para Wallerstein, esse sistema compreende três estratos: o centro metropolitano, a periferia e a semiperiferia. O lugar privilegiado da fragmentação é o centro. Entre os Estados que o integram as relações são de complementaridade e antagonismo. Elas se reproduzem permanentemente, assumindo configurações variáveis em um processo pautado pelo fenômeno da hegemonia. Para Wallerstein e seus continuadores, a fragmentação política do centro é uma característica estrutural do sistema. Na moldura definida por esse traço, as relações hegemônicas variam historicamente, perfazendo um movimento cíclico. Desde os seus primórdios, na passagem do século XV ao XVI, a economia-mundo capitalista conheceu várias hegemonias – Veneza, Amsterdã, a Inglaterra, os Estados Unidos. Estes, segundo os defensores dessa concepção, vêm trilhando, desde o último quartel do século passado, a fase final do ciclo da hegemonia.

Embora admire muito a realização intelectual comprimida nessas indicações telegráficas, afasto-me dela em dois pontos decisivos:

1. Não considero razoável pensar o fenômeno da hegemonia no campo internacional em termos de ciclos. Fazer isso implica desconhecer as diferenças qualitativas entre o papel desempenhado pelos diferentes Estados que se sucederam no exercício de tal condição. Papel muito maior no caso dos Estados Unidos do que o foi no da Inglaterra, em qualquer momento de sua flamejante história.
2. Distancio-me igualmente dessa concepção naquilo que ela tem de exageradamente determinista. Para falar em ciclos, precisamos conceber a economia-mundo capitalista como um sistema fechado, no sentido

preciso de que contém em si todos os fatores determinantes de seu movimento. A essa ideia contraponho a de um sistema essencialmente "aberto", e tanto mais aberto porquanto reflexivo. Vale dizer, objeto de observação e avaliação de seus membros, que são capazes de afetá-lo mais ou menos drasticamente pelas decisões que tomam com base em tais avaliações e nos cálculos que elas encerram.

Gostaria, nestes parágrafos finais, de extrair uma consequência das duas observações precedentes – sobre a centralidade inédita dos Estados Unidos e sobre a reflexividade do sistema – na forma do seguinte comentário: depois do breve intervalo que se seguiu imediatamente ao fim da Guerra Fria, a política exterior dos Estados Unidos vem sendo informada por uma "grande estratégia" cuja ideia reguladora é a do Império.

Essa estratégia tem dois vértices: 1) a reorganização econômica em escala planetária – a "globalização neoliberal", com todos os seus correlatos jurídicos; e 2) a concentração do poder coercitivo – a monopolização da capacidade de fazer autonomamente a guerra.

Esse projeto imperial ficou mais explícito na presidência do segundo Bush, na doutrina da ação preventiva, no unilateralismo exacerbado etc., mas foi ele que deu o norte também à política de Clinton.

Pois, no presente, com os fracassos acumulados no Iraque e no Afeganistão, aliados à contestação crescente que a política norte-americana passa a sofrer na América Latina e, mais importante ainda, com a crise econômica enorme provocada pelas políticas de liberalização financeira – que constituíam, contudo, uma das peças axiais do referido projeto –, a grande estratégia de corte imperial dos Estados Unidos se encontra hoje seriamente abalada.

Não caberia especular aqui sobre as diretivas da presidência Obama nem sobre o significado que ela pode vir a adquirir, em termos internacionais, no decorrer do tempo. Mais importante é salientar que o projeto imperial sempre deparou com resistências mais ou menos abertas, mais ou menos frontais, mais ou menos efetivas.

Não falo apenas – nem principalmente – dos críticos que povoam a chamada "sociedade civil": o movimento antiglobalização, os grupos que se fazem ouvir no Fórum Social Mundial, todos aqueles que se identificam com o lema "outro mundo é possível". Penso, sobretudo, nas forças sociais capazes de projetar seus interesses materiais e ideais no campo internacional pela ação de seus respectivos Estados. Estes – basta mencionar a China, a Índia, a Rússia, a França, o Brasil, para citar apenas alguns de maior peso – rejeitam a ideia de um mundo unipolar, condomínio dos grandes operando em harmonia cada vez maior sob a batuta do síndico.

A esta imagem de futuro, os Estados que acabei de citar contrapõem – com ênfases e nuances distintas – a ideia de um mundo multipolar, em que o poder estará mais desconcentrado e os negócios comuns serão geridos por negociações ampliadas e mais inclusivas.

Pois bem – e agora termino a realização desse desiderato –, não depende do que façam ou deixem de fazer as sociedades lusófonas. Mas, à medida que consigam dar substância real às potencialidades antes aludidas, essas sociedades contribuirão seguramente para que esse mundo plural e diverso venha a balizar o futuro de nossos filhos.

10
O Brasil no mundo: conjecturas e cenários[*]

Escrito com Ricardo Sennes

Aberto por dois eventos dramáticos – a Guerra do Golfo e, logo a seguir, o colapso da União Soviética – o debate sobre a natureza da ordem internacional pós-Guerra Fria ganhou novo impulso com o atentado de 11 de setembro e as reações por ele desencadeadas. Seja qual for a caracterização do sistema internacional tida como a mais adequada, no centro da discussão estava, como continua a estar, o papel da superpotência. Vértice de um sistema unipolar? Elemento mais importante, mas com peso desigual nas diversas dimensões de poder envolvidas em um sistema sobremaneira complexo? Expressão proeminente de um ordenamento duradouro, ou traço característico de uma configuração marcadamente instável?

Não vamos entrar nesse debate. Em vez disso, adotando a posição prospectiva que informou todo o projeto, procuraremos indicar algumas das linhas de força que deverão estabelecer o elo entre o sistema internacional presente e o que haverá no futuro em um horizonte de vinte anos, seja qual for a feição que ele venha a apresentar.

A primeira delas diz respeito à trajetória dos Estados Unidos. A prudência aconselha projetar para o futuro previsível os valores relativos que asseguram hoje a proeminência indiscutível desse país no sistema internacional. Porém, a consideração mais detida de alguns aspectos abre espaço para interrogações.

* Redigido no primeiro semestre de 2005, como desdobramento de uma das partes desenvolvidas pelo Instituto de Estudos Avançados da USP do Projeto "Brasil 3 Tempos – 2007, 2015, 2022", lançado pelo Núcleo de Assuntos Estratégicos da Secretaria de Governo e Gestão Estratégica da Presidência da República (NAE) e conduzido pelo Centro de Gestão e Estudos Estratégicos (CGEE). Publicado originalmente em *Estudos Avançados*, v.20, n.56, 2006, p.29-42

O mais evidente deles tem a ver com a posição de sua economia. Apesar de seu tamanho e dinamismo, a economia americana padece de problemas conhecidos que podem comprometê-la a médio ou longo prazo: o baixo nível de poupança e o grau muito elevado de endividamento (público e privado). Até o momento, o financiamento dos crescentes déficits, interno e externo, tem sido feito sem maior dificuldade, dada a disposição de investidores de todo o mundo de aplicarem seus ativos em títulos denominados em dólares. Mas, o que ocorrerá se a confiança na solidez da economia americana e em sua capacidade de pagamento for, por algum motivo, abalada? Em que medida a consolidação do euro como moeda de reserva internacional tende a restringir os graus de liberdade da política econômica dos Estados Unidos? A hipótese de uma crise financeira grave nesse país pode ser descartada?

A superioridade militar dos Estados Unidos parece ser o elemento mais consistente de sua condição presente de superpotência singular. No entanto, aqui também é preciso cuidado para dimensionar corretamente os dados. A supremacia americana nesse campo está assentada em seu poderio nuclear, em sua enorme dianteira no desenvolvimento e na aplicação de armas de última geração, na capacidade única de projeção de poder em escala global, pela pujança de suas forças aérea e naval e pelo sistema de bases militares – mais de 720 espalhadas por todo o mundo.[1] Nem por isso esse poder é ilimitado. No tocante ao armamento nuclear, cabe observar o descasamento entre o tamanho e o potencial destrutivo do arsenal americano e sua utilidade. É a percepção dessa defasagem que inspirou a redefinição estratégica expressa na *Nuclear Posture Review*, de 8 de janeiro de 2002. Trata-se, para os planejadores americanos, de dar maior credibilidade à ameaça atômica por meio do desenvolvimento de artefatos de baixa potência, passíveis de serem empregados para a consecução de objetivos táticos. Seus defensores apresentam esse programa como indispensável para combater a proliferação das armas de destruição em massa; seus críticos denunciam seu efeito dissolvente, afirmando que o referido programa atingiria fatalmente o regime de proliferação nuclear. Seja como for, por enquanto os planos não saíram do papel e há dúvidas de que possam vir a fazê-lo em curto prazo (International Institute for Strategic Studies, 2003-2004, p.20ss.).

Com pleno domínio aéreo e marítimo e com as armas eletronicamente guiadas de que dispõem, os Estados Unidos detêm os meios para vencer qualquer conflito convencional em que possam estar envolvidos. O problema é que o desafio militar que enfrentam é de outra natureza. Para fazer face à guerra assimétrica, é preciso ocupar o terreno e incorrer em um número de baixas que a sociedade americana tem muita dificuldade em aceitar.

[1] Sem falar das bases que os Estados Unidos mantêm disfarçadamente, sob a bandeira de outros países. Sobre o tema, cf. Johnson (2004).

O segundo vetor de mudanças que gostaríamos de destacar consiste no processo de construção da União Europeia. O ceticismo quanto a este projeto é grande em muitos setores, e as divisões que vieram à tona na crise diplomática que precedeu a invasão do Iraque só as fizeram aumentar. Para muitos analistas, sua última ampliação torna a União Europeia menos unida ainda e mais impotente diante do Estado norte-americano. No entanto, visto em perspectiva, de 1952 – quando foi criada a Comunidade do Carvão e do Aço – aos dias de hoje, o acervo acumulado pela Europa é impressionante. O último elemento incorporado foi o projeto de Constituição aprovado em junho de 2004 pelo Conselho Europeu, contra a expectativa dos incrédulos. A rejeição desse texto nos referendos francês e holandês criou grande comoção, mas não é certo que o significado do episódio tenha sido negativo para o processo geral de construção da Europa como comunidade política. Na produção de uma identidade europeia nítida, a implantação da Política Externa e de Segurança Comum é decisiva. Sabemos como é forte a resistência que ela desperta. E devemos agora acrescentar uma referência à dificuldade em integrar as perspectivas de países de tradições e vínculos externos tão distintos quanto Inglaterra, França e Alemanha, de cuja confluência depende em grande medida o futuro daquele projeto. No entanto, alguns fatores militam a favor de sua materialização. Um deles é a integração já em estágio avançado da indústria bélica europeia (GUAY & CALLUM, 2002, p.757-76); o outro é a problemática de segurança, a qual para a Europa – que tem uma população mulçumana de mais de 30 milhões de indivíduos e faz fronteira com muitas das regiões mais conturbadas do planeta – afigura-se em termos muito distintos do que para o aliado americano.

Desde seus primórdios, o processo europeu foi marcado pela tensão entre federalistas e confederalistas. Em cinquenta anos ele recebeu muitos atestados de óbito e sobreviveu a todos. Também avançou dialeticamente, entre momentos de letargia e saltos. Como se comportará nas próximas décadas?

A terceira força a considerar neste breve exame é a ascensão impressionante da China. Hoje ela já ocupa a segunda posição entre as maiores economias do mundo, com um produto interno bruto, pelo critério da paridade de poder de compra, de 6,435 trilhões de dólares, contra o PIB de 10,871 trilhões dos Estados Unidos (*World Development Indicators Database*, 2004). Se mantiver taxas de crescimento próximas das que vem acusando nos últimos vinte anos, a China terá se equiparado aos Estados Unidos nesse terreno no fim do período que temos em vista. Mas, é razoável esperar que as mantenha? Muitos analistas afirmam que não e apontam uma série de distorções – situação pré-falimentar de milhares de empresas; fragilidade do sistema bancário, abarrotado de créditos irrecuperáveis – que a condenariam a se debater em grave crise financeira em prazo breve. Mesmo que tenham razão, como reagiria a China a uma crise dessa natureza? Com que prontidão conseguiria superá-la?

No plano geoestratégico também as questões se multiplicam. Há de saída o problema com Taiwan, que pode evoluir, em prazo relativamente curto, para uma crise de graves consequências envolvendo uma prova de força direta com os Estados Unidos. A China vem se preparando para essa eventualidade e a comparação ingênua do orçamento militar dos dois países pouco nos diz sobre seu grau de sucesso. Pelos dados oficiais, em 2002 a China teria gasto cerca de 20 bilhões de dólares em defesa, mas segundo as estimativas do Ministério de Defesa dos Estados Unidos os valores reais podem ter sido pelo menos três vezes maiores (Department of Defense, 2003). Além dos problemas de imprecisão e baixa fidedignidade dos dados, a comparação é também prejudicada pelas distorções provocadas pela conversão ao dólar. Parte do gasto militar é realizada na aquisição de equipamentos ou em contratos de assistências e está corretamente refletida quando expressa em moeda internacional, mas o mesmo não vale para o gasto correspondente à compra de material na própria China e ao dispêndio com soldos e salários (que respondem por fração importante do gasto total – 38% nos Estados Unidos, mais de 70% na Europa): se o critério da paridade de poder de compra fosse utilizado na estimativa dessa parcela do gasto, o orçamento militar chinês se revelaria muito maior.

Taiwan não é a única área de atrito nas relações estratégicas entre a China e os Estados Unidos. O projeto de defesa antimíssil é encarado pela China como uma grande ameaça, que se torna ainda maior pela extensão deste ao Japão. Para fazer face a ela, a China conta, entre outras coisas, com sua capacidade de produção de mísseis balísticos intercontinentais em número tal que nenhum sistema de defesa poderia deter e com o desenvolvimento de sistemas antissatélites e outros dispositivos de uma futura "força de dissuasão exoatmosférica", que incluiria lasers e mísseis capazes de destruir satélites, já em fase de pesquisa no presente (URAYAMA, 2004, p.123-42). Para levar a efeito esse esforço de modernização e fortalecimento de seu aparato bélico, a China se vale fortemente da cooperação com a Rússia e procura fazer avançar, também nesse domínio, a densa relação que mantém com a União Europeia (Ministry of Foreign Affairs of the People's Republic of China, 2003).

Para a China, as prioridades mais elevadas continuam sendo o desenvolvimento nacional, a manutenção das altas taxas de crescimento econômico e a promoção das condições internacionais mais propícias à consecução desses objetivos. Entre essas, incluem-se a paz e um ambiente seguro. Mas, como a segurança é um bem relativo, os esforços que a China faz para obtê-lo deixam em aberto várias interrogações sobre o futuro.

Se a intenção neste artigo fosse fazer um levantamento exaustivo, deveríamos acrescentar referências explícitas a vários outros temas, como a recuperação econômica e os conflitos étnicos na Rússia; o desenrolar da crise no Oriente Médio – com ênfase na guerra suja no Iraque, na desestabilização de regimes tradicionais da região e na crise já avançada em torno do programa nuclear iraniano –; e a lenta, mas aparentemente segura, elevação da Índia à condição de grande potência, entre outros. Mas não é preciso. O que buscamos foi apontar apenas algumas das grandes forças que certamente contribuirão para moldar o sistema internacional nos próximos vinte anos. Qual tende a ser sua configuração nesse horizonte de tempo? Manterá este sistema a configuração unipolar que apresenta hoje, ou se deslocará em direção a uma estrutura multipolar, segundo a hipótese incorporada no planejamento estratégico de vários países – entre os quais a França e a China – e sustentada por alguns especialistas mais renomados da área?[2] Caso a primeira alternativa se revele verdadeira, qual tende a ser a natureza desse sistema unipolar? Ele avançará no sentido de uma integração crescente, nos planos econômico, político, cultural e geoestratégico, do centro metropolitano – os Estados Unidos e os países integrantes do bloco Ocidental – atingindo esta um ponto tão elevado que não caberia mais falar de seus elementos constitutivos como Estados distintos, mas como partes de um único sistema estatal?[3] Ou, pelo contrário, realizar-se-á pela acentuação das assimetrias no próprio centro do sistema, o que instituiria o Estado mais forte em sede de um império global?[4]

A reflexão sobre os delineamentos da nova ordem internacional em emergência no mundo do pós-Guerra Fria não é nova para a diplomacia brasileira, embora os acontecimentos desencadeados pelo 11 de setembro tenham lhe conferido nova importância. Hoje, como na década passada, a percepção de que o futuro é incerto é clara. Para um país intermediário, afastado das áreas críticas de tensão internacional, como é o caso do Brasil, trata-se de definir uma estratégia de inserção internacional que leve em conta as três possibilidades antes mencionadas.

Elaborados com base nas respostas ao questionário relativo à dimensão global do projeto Brasil 3 Tempos, os cenários que apresentamos a seguir podem contribuir para essa tarefa. Dois deles – o "cenário mais provável" e o "cenário desejável" – sistematizam os resultados colhidos por meio daquele instrumento, ao observar o critério da média das probabilidades atribuídas pelos respondentes aos diferentes eventos sobre cuja ocorrência estavam sendo sondados. Os dois cenários contrastantes foram construídos com base em procedimento que levou em conta o esquema de interconexões causais resultante da aplicação do modelo lógico de análise empregado pela equipe do IEA, bem como a literatura internacional relevante sobre o tema. Nesse

[2] Cf. Waltz (2002; Kupchan (2002, p.68-97; 2003), Todd (2002).

[3] Essa hipótese, que já se insinua em trabalhos de autores prestigiados, como Robert Jervis e John Ikenberry, e que foi desenvolvida sistematicamente em obra importante de Martin Shaw, tem afinidades claras com o discurso dos governos de Clinton e de Tony Blair. Cf. Ikenberry (2001, p.191-212); Jervis (2000, p.1-14); Shaw (2000).

[4] Essa hipótese, que não é nova, vem ganhando respeitabilidade acadêmica crescente nos últimos anos. Para apresentações elaboradas desse ponto de vista, cf. Gowan, 2004. (Disponível na www); Bacevitch (2002); Fergunson (2004).

sentido, mais do que criações pessoais dos autores do presente artigo, os cenários, em seu conjunto, representam o produto do esforço coletivo de todos os participantes da pesquisa.

Cenário mais provável: desconcentração conflituosa

Neste cenário, a primazia dos Estados Unidos na economia e na política mundiais se vê reduzida pela ocorrência de um dos eventos a seguir, ou de sua ação conjugada: o aumento do poder econômico e militar da China e a afirmação da identidade política da União Europeia, mediante uma constituição própria e de uma Política Externa e de Segurança Comum (Pesce) efetiva, com capacidade independente de planejamento estratégico. Esse resultado é reforçado ainda por dois outros eventos: a ascensão da Índia e a integração da Rússia na União Europeia.

A transição para um sistema dotado de vários polos de poder é o elemento central neste cenário, mas o elemento que o distingue é a maneira como ela se processa. Neste cenário, a desconcentração se opera de forma conflituosa, pela emergência de competidores com meios e disposição para contestar o papel de liderança da superpotência na condução dos assuntos internacionais.

Nesse contexto, manifestações recorrentes de discordância sobre questões relevantes aumentam as tensões entre os principais atores da política internacional, que se lançam em jogos de aliança envolvendo também as pequenas e médias potências.

Em várias partes do mundo, conflitos étnicos e religiosos geram situações críticas, mas as discrepâncias entre as grandes potências inibem as intervenções internacionais para saná-las. Embora as tensões no Oriente Médio continuem elevadas, os Estados Unidos reduzem sua presença militar na região, pela dificuldade de arcar com os custos econômicos e políticos nela implicados.

A persistência de fatores de crise nesta e em outras regiões do mundo cria condições favoráveis para organizações terroristas, que intensificam sua atividade.

No plano das relações econômicas, as divergências entre os principais atores levam à multiplicação de acordos minilateralistas, em detrimento do sistema multilateral. Em todos os níveis, decrescem a importância e a participação das ONGs em organismos multilaterais, que passam a enfrentar sérias dificuldades.

Diante da emergência e da desconcentração dos polos políticos e econômicos de relevância global, alteram-se as bases para a inserção internacional do Brasil.

Esse contexto favorece o aumento da importância do Brasil no cenário internacional como corolário de seu fortalecimento econômico e institucional de sua presença regional consolidada. Porém, o enfraquecimento dos foros multilaterais como ONU e OMC e a forte divergência política entre as principais potências, velhas e novas, reduzem a importância desses foros como meio de ação internacional do país.

Avança de maneira constante a integração física da América do Sul, dadas as necessidades geradas pelo aumento da integração econômica regional e a disposição estratégica do Brasil e dos países da região de criar uma identidade política sul-americana. O Brasil se consolida como liderança e coordenador estratégico desse processo combinado, com forte reflexo em sua presença política internacional. O baixo consenso internacional reduz a participação das organizações de fomento internacional (BID, Bird e outras agências) no apoio a esse projeto.

Desse processo de integração resultam maior estabilidade e ocupação econômica e social das zonas fronteiriças e do interior do continente, reduzindo a desigualdade econômica regional. Reduzem-se, assim, áreas de tensão social e política nas fronteiras entre os países.

Reduz-se também a presença militar nas fronteiras, que passam a ser controladas por autoridades civis. Os Estados Unidos não logram convencer os países da região a engajar suas forças armadas em programa conjunto e integrado focado nos problemas fronteiriços, como o combate ao crime organizado e ao narcotráfico. As fronteiras seguem vigiadas, quando necessário, pelas respectivas Forças Armadas.

As reservas indígenas se estabilizam sem novas pressões por ampliação ou pressão para o controle internacional da Amazônia.

No âmbito econômico multilateral, a redução da efetividade dos acordos comerciais diminui as garantias de acesso ao mercado para os produtos agrícolas brasileiros. A abertura de novos mercados, como China, Índia, Rússia e Oriente Médio, compensa em parte a redução de acesso via OMC.

Aumenta, ainda que de forma lenta, a participação das fontes renováveis na matriz energética mundial, ao mesmo tempo que mudanças climáticas se acentuam em razão da falta de acordo multilateral sobre o tema.

Tal ambiente permite o aumento das exportações brasileiras e redução da relação dívida externa/PIB, com boa repercussão para o desempenho econômico do país. Discordâncias entre as grandes potências nos foros econômicos multilaterais obstam a adoção generalizada de normas internacionais restritivas à implementação de políticas heterodoxas de fomento.

Cenário desejado: multipolaridade benigna

Neste cenário, cria-se um maior equilíbrio de forças entre os Estados Unidos, a UE e a China, consolidando-se um mundo multipolar com fortalecimento das instituições regionais e multilaterais. Assiste-se, como no cenário da desconcentração conflituosa, à perda de poder relativo do Estado norte-americano, mas a passagem para a nova configuração do sistema internacional se dá, aqui, de forma organizada e sob liderança dos próprios Estados Unidos. Nesse ordenamento, a China emerge como grande potência econômica e política e reforça as instituições internacionais vigentes. A UE implementa sua Política Externa e de Segurança Comum e integra com sucesso a Rússia. A Índia avança em seu processo de consolidação como economia altamente dinâmica e contribui fortemente para a montagem de esquemas de cooperação entre países em desenvolvimento.

A distribuição menos concentrada do poder internacional contribui para a tolerância entre as culturas, o que reduz o número de crises que demandam intervenções internacionais.

No Oriente Médio, a solução negociada da questão palestina e a estabilização de regimes moderados diminuem as tensões políticas e livram a região da presença militar estrangeira.

A combinação de maior estabilidade política internacional e combate policial eficiente, com cooperação entre os organismos nacionais envolvidos, diminui significativamente a ameaça terrorista.

Neste cenário, a geração de normas internacionais flexíveis estimula a adoção de políticas de desenvolvimento adequadas às circunstâncias e às necessidades dos países. As ONGs participam ativamente das decisões em negócios internacionais, multiplicando-se os acordos no contexto de organizações multilaterais revigoradas.

Caracterizado por forte concerto entre polos políticos e econômicos, velhos e novos, gera-se neste cenário um importante reforço das instituições internacionais e processos decisórios multilaterais, ampliando o espaço para a projeção política e econômica do Brasil. Tanto o histórico do Brasil diante dessas instituições como sua consolidação como liderança sul-americana o credenciam para ocupar lugar de destaque nos principais foros internacionais.

O Brasil logra um crescimento econômico sustentável e equilibrado e, com base nisso, reforça suas estratégias regionais tornando-se o polo articulador do processo de integração econômico e infraestrutural da região (Irsa) com apoio das instituições multilaterais (BID, Bird, CAF e agências de desenvolvimento europeias, japonesas etc.). Avança também o respaldo por todos os países da região à definição de metas econômicas e sociais comuns.

O aumento substancial da integração econômica e social da região sustenta-se com base na consolidação da integração física e na disposição estratégica de criar uma identidade política sul-americana.

Desse processo de integração resulta maior estabilidade na ocupação econômica e social das zonas fronteiriças e do interior do continente, reduzindo a desigualdade econômica regional. Reduzem-se assim significativamente as áreas de tensão social e política nas fronteiras entre os países. Os Estados Unidos retiram-se da função de polícia antidrogas da Colômbia e desmobilizam sua política de constituição de uma força comum regional de combate ao crime organizado e proteção militar das fronteiras.

Surgem políticas adequadas ao controle de reservas indígenas e da Amazônia.

O ambiente internacional estabilizado e o reforço das normas comerciais abrem espaço para forte expansão das exportações agrícolas do país. Reforçam essa condição o avanço dos acordos e a tecnologia para uso de fontes renováveis de energia, em especial os *energetic crops*. A ratificação dos acordos climáticos previne mudanças nas condições de produção de alimentos.

O crescimento sustentável econômico e das exportações permite ao país reduzir de forma significativa seu endividamento externo e trazer a níveis aceitáveis sua vulnerabilidade internacional.

Normas internacionais flexíveis abrem espaço para a adoção de políticas de desenvolvimento adequadas às circunstâncias e às necessidades dos países, combinando compromissos de abertura comercial com garantias de maior equilíbrio nos ganhos econômicos derivados dela.

Cenário contrastante 1: unipolar consolidado

Neste cenário, os Estados Unidos implementam com êxito a estratégia de perpetuar a configuração unipolar do sistema internacional que emergiu com o colapso da União Soviética, apoiados no dinamismo de sua economia, no controle exercido sobre os circuitos financeiros internacionais e em seu formidável aparato bélico. Detentores de supremacia inconteste na política e na economia mundial, os Estados Unidos mantêm dentro de limites aceitáveis o poderio ascendente da China pela preservação de presença militar decisiva na Ásia, do estímulo aos anseios de independência de Taiwan, do apoio conferido à Índia e da atribuição de novo papel ao Japão no sistema de segurança regional. Da mesma forma, valendo-se das diferenças de interesses e pontos de vista entre os países europeus, os Estados Unidos bloqueiam o projeto de uma política externa e de segurança autônoma, mantendo a União Europeia sob sua estrita dependência no plano geoestratégico. Com sua política de ampliação da Otan e de seu sistema de bases militares, os Estados Unidos elevam a sensação de insegurança na Federação Russa, que passa a defrontar-se com demandas separatistas intensas em várias regiões e tem dificuldades crescentes para manter sua integridade.

Nesse contexto, multiplicam-se as intervenções internacionais em situações de crise geradas por conflitos étnicos e religiosos. No Oriente Médio, os Estados Unidos mantêm sua presença militar, com mobilização crescente de tropas estrangeiras sob seu comando efetivo.

Marcadamente unilateralista, a conduta internacional dos Estados Unidos é apoiada pela maioria dos governos, apesar da oposição que ela suscita em amplos setores da opinião pública. O poder incontrastável dos Estados Unidos, a universalidade de seus engajamentos e o caráter imperativo de sua política provocam resistências disseminadas, que se traduzem com frequência em formas irregulares de ação militar e em atos terroristas.

No cenário unipolar consolidado diminui a importância e a participação das ONGs nos organismos multilaterais, que perdem influência na gestão dos assuntos internacionais. Nele, a potência hegemônica tende a valer-se de acordos bilaterais ou minilaterais para obter a adesão generalizada a normas internacionais que restringem severamente a capacidade dos países de implementar políticas públicas a seu critério.

Em decorrência de um ordenamento internacional fortemente hegemonizado pelos Estados Unidos e sua projeção na região sul-americana, o Brasil mantém certa presença na América do Sul, mas não consolida sua condição de liderança regional. Tolhido em sua condição de polo articulador regional, o Brasil investe pouco na integração infraestrutural, concentrando suas apostas na ampliação de seus vínculos com as economias centrais.

Persistindo a baixa integração econômica e infraestrutural da região, aprofunda-se a desigualdade econômica regional e a concentração do crescimento econômico em torno de algumas regiões metropolitanas. Proliferam assim áreas de tensão social e política no interior do continente, gerando pressões nas fronteiras entre os países.

Sob forte pressão dos Estados Unidos, vinga a proposta de utilização das forças armadas da região, sob a liderança das forças armadas norte-americanas, para lidar com os problemas fronteiriços, combater o crime organizado e o narcotráfico. Essas forças também seriam utilizadas em caso de instabilidade política nos países da região.

Com pouco espaço para a ampliação das ações políticas reivindicatórias, as reservas indígenas se estabilizam sem novas pressões por ampliação e diminui a pressão para o controle internacional da Amazônia.

Tal contexto impacta negativamente as tentativas do país de ampliar sua influência política no plano global, seja via presença nos foros multilaterais, seja em suas relações com outras regiões e países não dominantes.

As exportações brasileiras agropecuárias seguem se ampliando, em razão dos ganhos de produtividade e da redução gradual das barreiras comerciais nos mercados centrais. Contudo, o avanço lento da utilização de fontes alternativas de energia renovável faz que o Brasil se beneficie apenas marginalmente do mercado derivado dessas tecnologias (certificados de carbono, vendas de etanol) e de *energetic crops* (óleos vegetais etc.).

A ampliação apenas gradual das exportações do país mantém a dívida externa em dimensões exageradas diante do PIB, permanecendo forte a vulnerabilidade internacional do país e, em consequência, a situação econômica instável e o baixo crescimento. A ampliação dos acordos internacionais de corte liberal restringe a possibilidade de adoção de políticas econômicas heterodoxas e de fomento.

Cenário contrastante 2: ordem liberal cosmopolita

Neste cenário, a identidade de interesses e de valores básicos entre Europa, Japão e Estados Unidos cria condições para uma gestão compartilhada dos assuntos internacionais, que passa a se fazer cada vez mais por entendimentos estabelecidos no interior de redes globais associando burocracias públicas e privadas, o que tende a privar as questões relativas à primazia de determinado Estado na política mundial de todo sentido. Nesse contexto, as divergências entre Europa e Estados Unidos no plano da segurança estão superadas, operando-se entre os parceiros uma divisão funcional de trabalho que preserva intacto o papel integrador da Otan. Plenamente ajustada aos parâmetros econômicos e políticos predominantes em escala global, a China mantém seu dinamismo e se consolida como um dos principais polos de crescimento da economia mundial. A Rússia integra-se à União Europeia, depois de implementar as reformas requeridas para sua inclusão. E a Índia, com uma economia muito mais aberta do que no presente, converte-se em país líder em segmentos de alta tecnologia.

O elevado nível de consenso entre os principais atores da cena internacional que caracteriza esse cenário facilita a montagem de operações de intervenção em casos de crise decorrentes de conflitos étnicos e religiosos, bem como em casos de crises políticas resultantes do estabelecimento de regimes que atentem contra os padrões ocidentais de legitimidade.

No Oriente Médio – e em outras regiões, sempre que necessário –, a presença militar estrangeira se fará sob a bandeira da ONU.

Neste cenário, a ação conjunta da "comunidade internacional" e a adoção de políticas compensatórias em regiões críticas mantêm sob controle os níveis de tensão internacional e diminuem a ameaça do terrorismo.

Na esfera econômica, a geração de normas globais rigorosas sobre um conjunto crescente de temas reduz a margem de liberdade dos Estados para a adoção de políticas domésticas e politiza as negociações internacionais. Em estreita associação com esse fenômeno, verifica-se um fortalecimento expressivo das ONGs nos organismos multilaterais e na gestão das políticas públicas, com reconhecimento formal de seu papel no processo de tomada de decisões.

Nesse domínio, os interesses dos principais atores do sistema internacional podem diferir de maneira significativa, mas a convergência que existe entre eles no plano político e valorativo permite a busca de soluções negociadas, em fóruns multilaterais, para os problemas que dificultam o funcionamento dos diferentes regimes.

O ordenamento internacional hegemonizado por uma aliança atlântica liberal e cosmopolita abre espaço para o avanço gradual, mas consistente, da presença política e econômica do Brasil na região sul-americana. Tal condição favorece um maior concerto entre as nações do continente e maior estabilidade política.

Consolidando-se como liderança regional, o Brasil passa a investir e coordenar um programa de integração da infraestrutura regional (Irsa) com apoio das instituições multilaterais (BID, Bird, CAF e agências de desenvolvimento europeias, japonesas etc.). Tal processo é reforçado pelo aumento da integração econômica regional, comercial, financeira e produtiva.

Os países da região integram suas Forças Armadas em instituições de segurança coletiva, que se engajam em programas e ações voltados a lidar com os problemas fronteiriços, com combate ao crime organizado e ao narcotráfico, passando a desenvolver ações de polícia.

Ganham força as demandas tanto por ampliação da demarcação dos territórios indígenas como por maior controle e monitoramento internacional da Amazônia.

Com base em sua forte presença regional, o Brasil logra ampliar presença e influência nos foros internacionais, consolidando-se como ator de relevo nas discussões e decisões globais. O Brasil amplia o poder de barganha com os países centrais.

O avanço das negociações multilaterais amplia o espaço para a efetivação da abertura do mercado agrícola mundial, com forte impacto nas exportações do país. Também o avanço na utilização das tecnologias e legislações favoráveis ao uso de energias renováveis gera impacto favorável para o setor das *energetic crops* do Brasil.

O avanço rápido e sustentável das exportações agrícolas permite uma redução significativa da dívida externa do país e, portanto, reduz sua vulnerabilidade e os demais problemas derivados dela. Contudo, o avanço de acordos internacionais focados em livre comércio restringe o espaço para políticas de desenvolvimento e fomento.

INDICAÇÕES SOBRE O BRASIL NO FUTURO

Nosso argumento está centrado na ideia de que o cenário internacional futuro será definido pela resultante da interação de três polos políticos, econômicos e militares: os Estados Unidos, a Europa e a China. A própria dinâmica interna desses polos irá definir suas capacidades de atuar de forma mais ou menos efetiva na arena internacional. Algumas combinações possíveis dessa integração foram apresentadas na forma de cenários com o intuito de balizar a reflexão sobre possibilidades e limites para a atuação internacional do Brasil.

Ou seja, diferentemente dos exercícios sobre a inserção internacional do Brasil calcada em sua própria identidade, vocação, interesses e valores, este texto apresenta espaços, ameaças e restrições para a projeção internacional do país tomando por base o jogo geopolítico e geoeconômico mundial.

Interessa salientar, a partir deste trabalho, alguns traços do que poderá vir a ser a inserção internacional do Brasil diante de cada um dos cenários indicados anteriormente. Diferentes conformações da ordem internacional certamente impactarão o Brasil e seu entorno, mas não necessariamente implicarão mudanças radicais nas possibilidades de projeção do país no exterior.

De modo geral, a projeção é que o Brasil seguirá avançando rumo a uma maior presença e participação política e econômica mundial, de alguma forma reduzindo o *gap* entre a proporção de seus atributos territoriais, econômicos, populacionais e políticos e sua pequena influência política e econômica internacional.

Também predomina a percepção de que a projeção internacional do Brasil tem na região sul-americana sua base principal. Projeta-se que o Brasil provavelmente seguirá ampliando sua presença nesta região para além de suas já tradicionais exportações de produtos industriais. Deverá diversificar sua presença econômica na região, seja em projetos de infraestrutura, seja por meio de maior integração logística e de comunicação, seja no que tange a maior nível de integração produtiva, investimentos externos regionais e convergência regulatória.

Também no campo político e de segurança, o Brasil tende a ampliar sua participação na vida da região, em particular no que tange às crises políticas e institucionais, assim como a ampliar os fóruns de consulta e negociações com recortes específicos. Essas tendências, contudo, seriam mais ou menos acentuadas conforme os impulsos do ordenamento internacional, embora não de forma radical.

Por exemplo, projeta-se que a presença do país ganhará diferentes roupagens dependendo do papel das instituições internacionais. Tanto no cenário hipotético de Desconcentração Conflituosa como no do Unipolar Consolidado, reduz-se drasticamente a capacidade de essas instituições prevalecerem sobre as políticas e os interesses das potências dominantes. Em decorrência, o espaço internacional do Brasil estará mais associado à participação em fóruns e associações bilaterais e minilaterais do que a multilaterais, e bastante menos calcada em regras e arbitragens. Por outro lado, nos dois outros cenários, a projeção internacional do país passaria a se beneficiar de sua já razoável presença em fóruns como a OMC e ONU.

No campo regional, a capacidade de o Brasil se consolidar como liderança regional está condicionada à maior ou menor predominância política global dos Estados Unidos. Nesse caso, apenas no cenário da Unipolaridade Consolidada é que a agenda de segurança dos Estados Unidos na região se sobreporá às vertentes integracionistas do Brasil, tanto infraestruturais como políticas e econômicas. Os demais cenários indicam que o Brasil deverá avançar na implementação de uma agenda regional combinando certa liderança com integração e cooperação.

Outra variável-chave para avaliar as diferentes possibilidades de o país se projetar no jogo internacional é a maior ou menor vulnerabilidade financeira do país. As variáveis-chave aqui são: a maior ou menor abertura do comércio agrícola mundial; a maior ou menor demanda internacional por *energetic grops*; maior ou menor estabilidade das regras econômicas; assim como o maior ou menor espaço para a prática de políticas ativas pró-desenvolvimento. Talvez aqui repouse o aspecto mais sensível sobre o futuro da inserção internacional do país. Cenários fortemente desfavoráveis nessa dimensão (por exemplo, fortes restrições ou instabilidade das regras nas exportações agrícolas, somadas à baixa demanda por energia renovável e pouco espaço para a aplicação de políticas ativas nas áreas industriais, tecnológicas e financeiras) são vistos como fortemente impactantes sobre a capacidade do país em sustentar seus projetos internacionais políticos e econômicos.

Dessa forma, o país segue com razoável potencial para ampliar o grau de influência política internacional, em particular na região sul-americana, e será capaz de sustentar minimamente essas pretensões em vários cenários geopolíticos. Contudo, o calcanhar de Aquiles desse processo continua sendo a enorme vulnerabilidade econômica e financeira do país que, nos cenários mais negativos, pode comprometer de forma sensível sua capacidade de ação.

11
ESTADO E NAÇÃO NO BRASIL: VELHAS QUESTÕES, NOVOS DESAFIOS*

Escrito com Reginaldo C. Moraes

No seu jeito provocador, pouco tempo antes de falecer, Darcy Ribeiro – antropólogo, educador, *institutional builder*, político, romancista, espírito renascentista desgarrado no espaço e no tempo – costumava referir-se ao Brasil (de seus sonhos) como Nova Roma. E explicava: era o único país nas Américas que tinha condições de se converter em sede de uma civilização genuína. Essa possibilidade não se apresentaria aos Estados Unidos, mera extensão da Europa neste hemisfério. Nem ao México, ou ao Peru, países de "povos testemunhos" cuja missão seria resgatar o patrimônio extraordinário de suas culturas primais, adaptando-as ao contexto radicalmente alheio do mundo moderno.

Exageros à parte, há uma parcela de verdade nessa provocação. De fato, visto à distância, o Brasil surge ao observador como uma anomalia. A começar pelo tamanho de seu território: 8,5 milhões de quilômetros quadrados, quase igual ao de toda a Europa. Com sua enorme variedade climática (o equatorial superúmido da Amazônia; o tropical seco e semiárido do sertão do Nordeste; o subtropical que predomina no Centro-Oeste e no Sudeste), a vastidão desse espaço é ocupada hoje por quase 200 milhões de pessoas – de diferentes linhagens étnicas e traços culturais dos mais diversos, mas que falam todos, com diferentes acentos, uma única língua: o português. Segunda peculiaridade. A terceira é o passado imperial do Brasil: enquanto os fragmentos do domínio espanhol na América logo se organizaram politicamente como repúblicas (a breve experiência imperial mexicana é a exceção que confirma a regra), a constituição do Brasil, com a unidade

* Inédito. Uma versão reduzida e modificada foi publicada com o título "A construção retomada. Desafios políticos e perspectivas internacionais", na revista *Nova Sociedade*, n.1, 2008.

territorial que preserva até hoje, se deu sob a forma política monárquica, que perdurou até o fim do Segundo Império, com a proclamação da República, em 15 de novembro de 1889. Mas não é só isso. Quarta e sombria especificidade: a construção deste imenso país teve por base a exploração do trabalho escravo – com peso acentuadamente maior nas regiões que estiveram à frente dos distintos ciclos da economia colonial (o açúcar no Nordeste; o ouro em Minas; o café no Rio de Janeiro, que já se destacava antes disso por sua posição privilegiada no circuito do tráfico negreiro), esse regime só foi extinto em 1888.

Naturalmente, há muito mais do que mero acaso na convergência dessas características e a definição exata de suas relações mútuas tem constituído, há mais de cem anos, a tarefa primordial dos ensaístas sugestivamente denominados por alguém "explicadores do Brasil". Joaquim Nabuco, Manoel Bomfim, Oliveira Vianna, Caio Prado Júnior, Gilberto Freyre, Sérgio Buarque de Hollanda, Florestan Fernandes, o próprio Darcy – em suas diferenças, todos eles lidavam com esses elementos, combinando-os à sua maneira. Não temos a pretensão de nos inscrever nessa tradição com este modesto ensaio. Mas devemos recolher dela um elemento comum: a indagação a respeito da "ausência do povo" – ou, na vertente progressista, de sua presença intermitente, com a forte reação que ela sempre desperta. O Brasil aparece nessa literatura como um país dotado de Estado forte, altamente centralizado em alguns períodos, mas de fraca identidade coletiva, baixa articulação social e pronunciado pendor privatista. Um Estado nacional, mas muito precariamente um Estado-nação.

Conservadores, liberais ou revolucionários, este é o núcleo problemático dessa tradição e esta, até hoje, do ponto de vista intelectual e político é a questão mais desafiadora para nós.

Com exceção de Joaquim Nabuco e Manoel Bomfim, a biografia intelectual e política dos autores citados é marcada pelos acontecimentos que agitaram a quadra histórica aberta pela Revolução de 1930. E não por acaso. Como em tantos outros países, a desorganização dos padrões de inserção econômica externa provocada pela crise de 1929 e pela depressão que a ela se seguiu intensificou tensões previamente existentes, levando a uma ruptura na organização socioeconômica e política precedente. Podemos descrevê-la brevemente como combinação de economia agroexportadora e república oligárquica: a prosperidade assentada no controle exercido sobre o mercado mundial de café e a "política de governadores". Ambos os traços com raízes na situação que assistiu à crise do Império.

Que situação é essa? O tráfico negreiro fora extinto em 1850 por decisão da elite imperial, tomada sob forte pressão inglesa, no quadro de inquietação provocada por revoltas negras em vários pontos do país. Nessa época, assistia-se à decadência das regiões tradicionais e ao florescimento de áreas novas, em que o cultivo da terra passava a ser feito com base no trabalho de colonos "livres". Aumentava a população urbana e nela, destacavam-se os setores médios com alguma instrução, influenciados pelas novas ideias que chegavam da Europa – o evolucionismo e o positivismo comteano. Conjugadas, tais circunstâncias erodiram as bases de sustentação política do Império. Um ano depois da abolição da escravatura, a alta oficialidade do Exército patrocinou o golpe de Estado pelo qual foi instalada no Brasil a República.

Ao contrário, porém, do que imaginaram por um momento liberais e "jacobinos", o que garantiu a estabilidade política do país não foram as virtudes republicanas da Constituição votada em 1891, mas um compromisso político peculiar pelo qual as oligarquias que controlavam os partidos republicanos em cada estado reconheciam sua supremacia recíproca, comprometendo-se a respeitar a regra não escrita da não interferência nos assuntos internos de cada estado da federação. Sob uma constituição fortemente descentralizadora, essa regra, calcada no caráter extremamente restritivo do sistema eleitoral, no voto aberto e no mecanismo da "verificação de poderes", pelo qual cabia à Câmara a decisão sobre a legitimidade dos mandatos, consagrava um sistema de partido único (ou dominante).[1] Com este detalhe: partido único em cada estado da federação, ela mesma governada pela aliança dos dois partidos estaduais mais fortes: São Paulo e Minas Gerais.

Foi nesse quadro político, extremamente excludente, que o café se expandiu em São Paulo e se estabeleceram os primeiros embriões da indústria manufatureira que ganharia impulso, no Brasil como em tantos outros países da periferia capitalista, com a relativa desorganização dos fluxos comerciais ocasionada pela Primeira Guerra Mundial. Com a expansão da indústria, irrompia na cena nacional a figura do trabalhador organizado, com sua reivindicação característica de palavra própria, na época socialista ou anarquista, e variados sotaques – nacional e europeu.[2]

Acentuara-se nesse período o deslocamento operado nas relações externas do Brasil desde o fim do Império. Forjado sob suas bênçãos, o Estado Imperial viveu um momento de crise com a Inglaterra em meados do século XIX, em torno da questão do tráfico de negros. Mas nao foi esse o elemento determinante de sua opção estratégica pela aliança com o gigan-

---

[1] Em caso de disputa entre listas, a "Comissão de Verificação" aplicava o princípio não escrito da presunção, segundo o qual a lista do partido dominante no estado em causa era tida como legítima detentora da representação.

[2] Desde a penúltima década do século XIX, a incorporação de imigrantes de vários países da Europa, mas principalmente da Itália, foi um dos componentes da "solução" dada ao problema do trânsito ao regime de trabalho assalariado. As aspas se justificam porque a contrapartida desse processo foi a exclusão do mercado de trabalho de massas enormes de ex-escravos, que de repente se viram lançados no mundo competitivo, sem o mínimo preparo para nele se inserir de forma estável.

te do Norte. No fim do século, a diplomacia brasileira identificava nos Estados Unidos a potência ascendente no sistema internacional e concluía sabiamente que o estreitamento das relações de "amizade" com ela era a melhor garantia para afirmar-se *vis-à-vis* sua grande rival na região, a Argentina, que era muito mais próspera na época e tinha uma parceria casada com a velha potência hegemônica.

No contexto produzido pela crise de 1929, todos esses elementos sofreriam mudanças profundas. A rigor, podemos dizer que o Brasil conhece então a primeira das grandes ondas de transformações que o aproximariam da imagem que se tem dele no presente.

– I –

Entre 1930 e 1945, sob o comando de Getulio Vargas, ex-governador do Rio Grande do Sul – contraponto permanente à "aliança do café (São Paulo) com leite (Minas)", ora convertido em líder de uma revolução antioligárquica –, o país se viu empurrado para uma primeira fase de industrialização substitutiva de importações. Essa decolagem foi em grande medida condicionada primeiro pelas circunstâncias da depressão mundial e, depois, pelo relativo isolamento (e desabastecimento) provocado pela guerra. A esse complexo de industrialização e urbanização juntou-se outro processo que deixaria marcas igualmente importantes na conformação do quadro político nacional: a federalização ou nacionalização, de fato, da política nacional. Um conjunto de elementos – instituições, organizações, regulações sucessivas e abrangentes – foi-se tornando, de fato, nacional. A "política dos governadores" antes aludida foi dando lugar a uma política de Estado, de construção nacional. Algumas das inovações consubstanciais a essa política merecem destaque.

A primeira delas diz respeito à forte centralização do poder de mando nas mãos do Executivo federal. Consequência direta da Revolução, que promoveu a derrubada imediata dos governadores ligados à velha ordem, a supressão da autonomia constitucional dos estados foi consagrada no ordenamento jurídico do Estado Novo, instaurado, depois de breve interregno constitucional, em 1937.

A segunda grande novidade tem a ver com a criação de inúmeros códigos reguladores e mecanismos de intervenção econômica (empresas públicas, fundações, autarquias, conselhos de planejamento e órgãos de gestão) e o sério empenho na racionalização da administração pública, cuja expressão emblemática foi a criação do Departamento de Administração do Serviço Público (Dasp) e a adoção de concursos para o provimento de cargos.

A terceira inovação institucional do regime Vargas, e de longe a mais duradoura, foi a criação de um sistema corporativo de representação de interesses societais (sindicatos e federações legalmente reconhecidos, com tratamento diferente reservado aos trabalhadores, cujas organizações eram supervisionadas pelo Ministério do Trabalho) e a Consolidação das Leis do Trabalho (CLT), em 1943, que consagra um conjunto de dispositivos de proteção social no país, entre eles o direito de aposentadoria e o de férias anuais de trinta dias.

Convém destacar: esses dispositivos concerniam tão-somente aos trabalhadores urbanos com vínculos formais de emprego. Fora de seu alcance ficavam as grandes massas do subproletariado urbano e a totalidade dos trabalhadores rurais, que continuavam, em sua esmagadora maioria, sob a autoridade direta dos proprietários rurais, cujo poder altamente concentrado não foi minimamente afetado pelas políticas do regime.

Como quer que seja, os avanços realizados nesse plano obedeciam ao propósito proclamado do regime de promover a paz social e debelar as lutas de classe.

Pari passu, os intelectuais modernizantes, muitos deles estreitamente vinculados ao Estado Novo, procediam a uma complexa operação intelectual cujo resultado, logo convertido em ingrediente básico das políticas estatais, foi a redefinição da identidade nacional brasileira, que ora se assumia orgulhosamente como mestiça. Vencida a ideologia da inferioridade intrínseca do país em virtude do caráter racialmente impuro de sua população, as manifestações explícitas de racismo foram banidas do discurso oficial do Estado, embora sobrevivessem de forma mais ou menos aberta nas práticas e no discurso de alguns de seus aparelhos (com destaque para a polícia).

Nascido em um momento de grande perturbação no quadro internacional, o regime de Vargas destacou-se também pelo caráter inovador de sua política externa. Aqui, o elemento a salientar não é tanto a neutralidade na guerra – na qual o Brasil foi acompanhado por outros países latino-americanos – mas na barganha concluída por Vargas com o governo Roosevelt que levou o país a declarar guerra às potências do Eixo: além de se beneficiar do programa de rearmamento previsto no Land Lease Act, o governo brasileiro obteve dos Estados Unidos o aval e o apoio material e humano necessário à implantação da Empresa Siderúrgica Nacional, que desempenharia imenso papel no processo de industrialização subsequente.

Mas, em maio de 1945, a vitória dos Aliados soou como o réquiem para o regime. Obrigado a convocar eleições gerais em fevereiro daquele ano, em outubro Vargas era derrubado por um golpe militar com amplo apoio civil, sem que os oficiais a ele ligados esboçassem nenhum gesto de resistência.

Com a Constituição liberal de 1946, o Brasil ingressava em nova era. Contudo, as expectativas mais generosas dos setores progressistas da oposição civil cedo se viram frustradas. No clima da Guerra Fria que se instalaria logo a seguir, o conservadorismo foi a marca dominante do governo Dutra.

Conservadorismo expresso na conduta da política econômica, na extinção do Partido Comunista e na manutenção do sistema criado anos antes para enquadrar o trabalho organizado. A questão agrária permanecia fora do horizonte e, por força de dispositivo constitucional, os analfabetos (cerca de 50% da população adulta em 1950) estavam destituídos do direito de voto.

– II –

Mas foi sob esse sistema de competição política limitada que se registrou no Brasil a segunda vaga de mudanças estruturais. Novamente sob a liderança de Vargas, reconduzido à presidência, agora pelas urnas, um potente programa de reaparelhamento econômico constrói a infraestrutura para um novo período de crescimento. Grandes investimentos nas áreas de eletricidade, petróleo, siderurgia e transportes estimulam e viabilizam a implantação de indústrias de bens de consumo duráveis, bens intermediários e até de bens de produção seriados. Expressão emblemática desta orientação e instrumento-chave de todas as políticas de desenvolvimento adotadas subsequentemente no país é a Petrobras, empresa estatal criada em 1952, sob o impulso de ampla campanha popular de forte teor nacionalista. Menos espetacular em sua origem, mas igualmente emblemática, foi a fundação do Banco Nacional de Desenvolvimento Econômico (BNDE), mais tarde rebatizado como BNDES, com a inclusão do termo "social". Instituição pública de fomento, o BNDE logo passaria a desempenhar papel decisivo no financiamento dos programas de infraestrutura e, de maneira geral, na provisão de recursos para investimentos de longo prazo (públicos e privados) no Brasil.

Esse sistema daria seus frutos sob a presidência de Juscelino Kubitschek, com seu lema de condensar cinquenta anos de desenvolvimento em cinco anos de mandato, o que buscou fazer com uma forte política de atração de investimentos estrangeiros. Durante seu governo implanta-se no Brasil o embrião da indústria automobilística, com a clara divisão de áreas que foi por muito tempo sua característica: pequeno número de montadoras estrangeiras abastecidas por um setor de autopeças relativamente pouco concentrado, em que o capital nacional tinha primazia. Data igualmente dessa época o estabelecimento do setor petroquímico e do segmento de eletrodomésticos, entre outros ramos "modernos" da indústria.

Mas as novidades não ficavam aí; 1955-60 foi também um período de alta criatividade cultural, em todas as áreas. Fruto de proclamado experimentalismo, a "bossa nova" talvez constitua a manifestação mais conhecida desse fenômeno. Incorporando de forma programática elementos do jazz à vasta tradição musical do samba brasileiro, o apelo sedutor da bossa nova se exercia igualmente no país e fora dele, como que a marcar a sintonia do Brasil de JK com o "espírito do tempo". A decisão de transferir a capital do Rio Janeiro para Brasília, cidade criada a partir do nada, no meio de nada, no ponto central do território brasileiro, é uma expressão eloquente da confiança nessa sintonia. O custo fabuloso dessa empreitada não abatia o ânimo. Para o Brasil, país do futuro, o futuro parecia estar ao alcance da mão.

Nem tudo, porém, confortava essa perspectiva. Herdeiro do sistema político bifronte montado por Getulio Vargas (o PSD, a face conservadora, e o Partido Trabalhista Brasileiro – PTB –, sua face nacional-popular), o governo JK foi alvo de intensa campanha difamatória movida pela oposição liberal-conservadora, que não se conformava com sua reiterada incapacidade de galgar o poder por meio do voto. O ódio desatado por tal campanha traduziu-se em duas sublevações militares, rapidamente contidas. Nada que perturbasse excessivamente o sono. Mas o sinal estava dado.

Mais inquietantes eram os desequilíbrios crescentes nas contas externas e a tendência de alta da inflação. O país chegou a entabular negociações visando a um empréstimo do FMI, mas elas não progrediram. Confrontado com as exigências de austeridade do órgão, que implicariam o sacrifício de várias de suas metas, Juscelino Kubitschek rompe com o Fundo, para gáudio dos nacionalistas e escândalo dos "entreguistas", apelido reservado pela esquerda nacionalista aos representantes da oposição.

Já se esboçava claramente a polarização que levaria ao golpe militar de 1964. Depois da passagem estonteante de Jânio Quadros pela Presidência (descomprometido com forças políticas organizadas – mas adotado, como trampolim para o governo, pela oposição liberal-conservadora – ele renuncia no sétimo mês de seu mandato quando o Congresso lhe nega os poderes extraordinários que tinha reclamado), a radicalização do conflito político só faria aumentar no governo de seu sucessor, o vice-presidente João Goulart. Ex-ministro do Trabalho no segundo governo de Vargas, a quem era estreitamente ligado e do qual era tido como legítimo sucessor, Goulart já sofrera um veto, que só foi superado pela divisão das Forças Armadas e por um compromisso político que instaurou no país um regime parlamentarista de ocasião. O plebiscito de 7 de outubro de 1962 devolveu a Goulart seus plenos poderes como presidente da República, mas ele não os exerceu por muito tempo. Com a inflação fora de controle, em meio a mobilizações e contramobilizações cada vez maiores – processo que ganhava cores dramáticas com a entrada em cena dos trabalhadores rurais, organizados em sindicatos rurais e, mais ameaçadoramente ainda, pelas "Ligas Camponesas" – em choque aberto com os Estados Unidos, o governo João Goulart desmorona um dia depois da movimentação das tropas rebeldes. Daí a ambiguidade que cerca o episódio: a Revolução de 31 de Março, para os vitoriosos; o golpe de 1º de abril, para os vencidos.

– III –

Seja lá como for, os militares mantiveram-se no poder por vinte anos e foi sob seu jugo que ocorreu a terceira vaga de transformações no Brasil. Elas começam com a modernização institucional promovida no governo de Castello Branco (1964-1967), o primeiro de uma série de cinco generais presidentes: reforma monetária e do mercado de capitais, com a criação do Banco Central, a introdução do mecanismo de indexação dos títulos da dívida pública, a centralização induzida do setor bancário e a diversificação do sistema financeiro (que abriu, de um lado, espaço para um segmento voltado para o financiamento direto dos bens de consumo duráveis e, de outro, para o financiamento da habitação para as classes médias); a flexibilização do mercado de trabalho, com a extinção da lei que assegurava indenização proporcional ao tempo de serviço e estabilidade ao trabalhador depois de dez anos no emprego, e sua substituição por um mecanismo engenhoso: o Fundo de Garantia por Tempo de Serviço (FGTS);[3] a política salarial, que substituiu a prática da negociação mediada pela Justiça do Trabalho pela simples aplicação de um índice de correção definido a partir de uma fórmula matemática estabelecida pelo governo; uma ampla reforma da administração pública e a reestruturação do sistema fiscal, com a criação de novas taxas e impostos e a forte centralização do poder tributário em Brasília.

O forte crescimento verificado a partir de 1968 – com destaque para o período conhecido como "milagre econômico" (1968-1973), quando o país cresceu a taxas superiores a 10% ao ano – prolongou o desenvolvimentismo dos anos 1950, levando-o até seus limites. Os militares brasileiros – em virtude de uma soma de circunstâncias sobre as quais não temos aqui oportunidade de discorrer – assumiram papel e fisionomia diferentes de seus vizinhos argentinos ou chilenos. Industrializantes e embalados pela ideologia do Brasil-potência, não destruíram o aparato de intervenção estatal criado sob Vargas. Pelo contrário, fortaleceram as estatais existentes – a começar pela Petrobras – e criaram muitas outras, transformando o setor empresarial do Estado em um sistema poderoso de produção e regulação. Da mesma forma, ampliaram enormemente os recursos do BNDE, atribuindo-lhe novos e mais importantes papéis. Nesse impulso, os mecanismos de poupança compulsória foram acentuados de maneira que financiassem grandemente um novo salto modernizante e industrializador.

Mas é preciso acrescentar ainda outro elemento – igualmente relevante – dessa "grande transformação": a modernização compulsória da agricultura. Compulsória porque operada pela forte intervenção do Estado militar, de

[3] Neste sistema, a empresa devia contribuir com o equivalente a 9% do salário de cada empregado, que – em caso de demissão – podia sacar o montante acumulado, corrigido segundo os índices oficiais de inflação e capitalizados a 3% ao ano.

sua política agrícola e agrária. Atos como o Estatuto da Terra e, principalmente, o Sistema de Crédito Rural empurraram o país para a senda do desenvolvimento agrícola *sem* redução da concentração da propriedade fundiária (até pelo contrário). Mecanização, quimificação e expansão do agronegócio produziam uma nova elite no campo e um novo quadro de deserdados da terra, seara social em que surgiriam, já na metade dos anos 1980, novos atores políticos: os movimentos de trabalhadores rurais sem terra e uma "bancada ruralista" moderna e agressiva, fortemente conectada a segmentos urbanos influentes (bancos, indústria, mídia).

Elemento importante dessa faceta do processo de mudança é a interiorização do desenvolvimento agrícola. Concomitantemente à inovação nos métodos de cultivo e à reconfiguração dos vínculos indústria-agricultura-circuitos de comercialização, houve alteração profunda na geografia da produção agropecuária com a expansão de novos cultivos, como a soja, bem como da pecuária na amplitude dos espaços até então quase inexplorados do Brasil Central e do leste do país. Era uma parte do futuro sonhado por JK, quando criou Brasília, que se fazia presente.

O que não chega a ser de todo surpreendente. Com efeito, apesar de toda a violência produzida pelo golpe de 1º de abril, as continuidades são muito claras entre o período de governo militar e o período anterior. Já aludimos a isso quando mencionamos o tratamento dado à Petrobras e ao BNDES. Algo semelhante podemos ver no sistema empregado no manejo, na supervisão e no controle das relações de trabalho. Aqui também o que os militares fizeram foi usar plenamente os recursos institucionais disponíveis para a realização de seus fins: não foi preciso mudar a legislação sindical para reprimir os sindicatos, expurgar os dirigentes sindicais que tinham se destacado nas mobilizações do pré-1964 e garantir que seu lugar fosse ocupado por dirigentes servis.

De 1964 a 1984, a economia brasileira operou um salto em seu sistema produtivo, ampliou e aprofundou sua indústria e o fez com forte incorporação de capital estrangeiro. Mas a passagem para esse modelo de desenvolvimento "dependente associado", para usar um termo fora de moda, não se deu no período pós-1964. Se quisermos marcar uma linha divisória, temos de voltar à década de 1950 e, se acompanhamos a argumentação de Carlos Lessa, autor de brilhante estudo escrito em parceria com Sulamis Dain, talvez à década de 1920. Nesse trabalho (Lessa; Dain, 1983), pensando no papel do Estado e da economia na América Latina, mas tomando como referência basicamente o Brasil, os autores mostram que desde os anos 1920 as relações entre o Estado, os capitais nacionais e o capital estrangeiro eram regidas por uma espécie de pacto, segundo o qual os grupos dominantes – empresários e classes proprietárias em geral – abrem espaços em alguns lugares para a liderança da empresa estrangeira (sobretudo na indústria), guardando para si o controle de áreas de atividades que proporcionam rendas posicionais.

Estas se mantêm durante muito tempo como áreas reservadas, em que o capital estrangeiro não penetra ou o faz em grau muito reduzido. Esse esquema foi mantido pelos militares. Aqui tampouco houve grande inovação.

No tocante à inserção externa também a continuidade predomina. Vencido o período de identificação quase incondicionada com os Estados Unidos que se seguiu ao golpe de 1964, já na segunda presidência militar a política externa brasileira dava provas de suas veleidades de autonomia. Mas foi no governo de Geisel (1974-1978) que esse impulso se converteu em eixo de uma estratégia coerente de afirmação do país no cenário internacional. O "pragmatismo responsável" – assim foi chamada essa política – traduziu-se na reiteração dos laços de amizade com os Estados Unidos, mas, ao mesmo tempo, na denúncia do oligopólio nuclear e na recusa consequente do Tratado de Não Proliferação; no reconhecimento imediato da independência de Angola e outras ex-colônias portuguesas, quando os Estados Unidos ainda apostavam na possibilidade de vetar seus respectivos governos, e na denúncia do Tratado de Cooperação Militar com os Estados Unidos, em reação à pressão cruzada do governo Carter contra as violações dos direitos humanos e contra o acordo nuclear que o Brasil mantinha com a Alemanha. Essa política se refletia também no âmbito das negociações do Gatt (Rodada Tóquio), em que o Brasil liderava com a Índia o bloco dos países em desenvolvimento que se opunham à agenda das grandes potências. Era a retomada em grande estilo da "política externa independente" cujos primeiros esboços datam do governo de JK. No governo de João Batista Figueiredo, último dos generais presidentes, a retórica da diplomacia se tornou mais opaca, mas as linhas gerais de sua conduta continuaram as mesmas, como se pode ver na política de exportação de material bélico e o incentivo a investimentos em países do Oriente Médio e, sobretudo, no apoio que foi além das palavras emprestado à Argentina na "Guerra das Malvinas" (Falklands, para os ingleses).

Neste, como no plano econômico e social, o regime militar aprofundou um modelo cujo perfil já estava claramente desenhado no período anterior. Se abstraíssemos a mudança política, seria possível fazer uma narrativa da trajetória do país tomando este evento, o golpe de 1964, como uma ocorrência menor.

– IV –

Mas essa abstração, não podemos fazê-la. Porque uma das coisas fundamentais na sociedade brasileira do pré-1964 era sua forte dinâmica democratizante. De 1946 a 1964, o Brasil cresceu enormemente e com o crescimento econômico cresceu também a participação das classes populares no processo político. A intervenção desses setores na vida política não era fenômeno novo, como já vimos. Depois do suicídio de Vargas, em 1954, e em boa medida por causa dele, as classes populares voltam em grande estilo à cena política e se tornam um elemento central na conjuntura de crise que vai desembocar no golpe de 1964. O golpe veio para sufocar as demandas de incorporação dos setores populares na vida política, para triunfar definitivamente sobre essa força perturbadora: o impulso democratizante da sociedade brasileira. A essa tarefa os autores do golpe se lançaram de imediato e com apurado zelo. No tocante aos setores populares, sobretudo no campo, a violência foi a regra. No trato com os políticos e com as organizações que serviam de canais de expressão para os setores médios, sua ação foi muito mais contida, oscilante. Ela se apresentou inicialmente como uma intervenção cirúrgica, limitada no tempo e em seu alcance. Depois foi se ampliando em ondas, até chegar, em dezembro de 1968, com o Ato Institucional n.5, na instauração de uma ditadura *sans phrase*.

Mas, contrariamente ao que alguns analistas chegaram a acreditar, os militares que deram o golpe não pretendiam, com isso, liderar uma volta ao passado. Eram autoritários, porém modernizantes. Queriam uma indústria forte e uma economia capitalista em crescimento. Por isso, delegaram o comando da política econômica a civis e criaram uma rede de segurança para defendê-los de todo tipo de pressão, mesmo daquelas que vinham da caserna. E nesse plano eles foram muito bem-sucedidos.

O ciclo de crescimento que começa em 1968 e se prolonga até o início da década de 1980 tem a ver com uma série de fatores, internos e externos, grande parte dos quais sem relação alguma com a orientação da política econômica. Não importa. O certo é que, por sua duração e intensidade, ele implicou mudanças profundas na estrutura da economia e da sociedade brasileira. A urbanização acelerada é uma das expressões desse processo. A enorme expansão das classes médias assalariadas e da força de trabalho empregada na indústria são duas outras. Aí reside a grande ironia. Alterando modos de vida, abrindo novos horizontes, redefinindo expectativas e visões de mundo de parcelas expressivas da população, essas mudanças estruturais acabaram por induzir a emergência de forças sociais que dariam novo impulso à dinâmica democratizante que se procurou extirpar com o golpe de 1964. Ela já se manifestava desde o início do governo Geisel, em 1974, na grande e inesperada vitória eleitoral da oposição. Três anos depois, o movimento operário voltava à cena com a campanha pela reposição salarial. Em 1978 as ações se multiplicaram. Em 1979 veio a anistia, em 1980 a terceira e a mais longa greve dos metalúrgicos de São Bernardo. Em 1984 houve a explosão da campanha pelas Diretas. A essa altura, os militares não tinham mais condições de permanecer no poder, nem sequer tinham condições de indicar o civil que deveria sucedê-los.

Para além dos efeitos não antecipados da política de liberalização do general Geisel, que se transformaria em "abertura política" no fim de seu mandato, e do impacto da crise da dívida, que atinge em cheio o governo de seu sucessor, o desgaste do regime militar tinha como pano de fundo um quadro estrutural que municiava a crítica da oposição. Ao lado da denúncia do caráter autocrático do regime, tinha lugar destacado no discurso da oposição democrática a denúncia do modelo econômico por excludente, concentrador e dependente – condição que se revelava crítica em matéria de tecnologia e, na virada da década de 1970, de financiamento.

Havia também uma crítica de outra índole. Seu alvo era o intervencionismo estatal e sua expressão maior foi a "campanha contra a estatização", que mobilizou a imprensa liberal-conservadora e amplos setores do empresariado brasileiro durante o governo Geisel. Mas o alcance social e político dessa crítica, na época, era reduzido. Quando a oposição civil conquistou finalmente a Presidência do país, em 1985, os motes de seu programa de governo eram a democracia e a expansão sustentada da economia, nos quadros de um modelo de desenvolvimento socialmente inclusivo e autônomo.

Tivesse logrado êxito, esse programa teria representado passo decisivo na realização do Brasil como nação. Desafortunadamente, as expectativas nesse sentido se frustraram rapidamente. Manietado pelos compromissos assumidos com as "forças do passado" e confrontado com um cenário externo hostil – pela crise da dívida e pelas novas regras do jogo econômico internacional que passavam, em escala global, a dar substância à reestruturação neoliberal do capitalismo –, o governo da "Nova República" foi acometido de paralisia generalizada depois da tentativa malsucedida de debelar a inflação galopante com uma terapia de choque: o Plano Cruzado, de 1986.

Período agônico, o governo civil presidido por José Sarney (1985-1989) assistiu à intensificação do conflito social, à explosão do processo inflacionário – que elevou muitas vezes o índice mensal acima da casa dos 50% (taxa anual aceita convencionalmente como limiar da hiperinflação) e um contencioso externo, com os Estados Unidos e a Europa, que se agravava a cada dia.

Três elementos positivos precisam constar necessariamente no balanço do período. As conquistas democráticas, com a supressão imediata de inúmeros dispositivos de controle político implantados durante o regime militar (remoção do "entulho autoritário", na expressão corrente); os avanços importantes realizados então no campo das políticas sociais; e a obra da Constituinte.

Instaurada em 1987, no exato momento em que o processo inflacionário escapava a qualquer controle, a Constituinte Cidadã, de 1988, condensa, no processo de sua elaboração e em seus resultados, as contradições e os impasses dessa quadra histórica. Não por acaso, seu texto logo foi tido como rebarbativo, incoerente, um acerto provisório, simples trégua, pelos representantes de todos os quadrantes políticos. Mas ela deixou um saldo importante, que sobreviveu a todas as revisões que viria a sofrer posteriormente: institucionalizou várias das inovações recentemente introduzidas no campo das políticas sociais e universalizou o voto, incorporando dezenas de milhões de analfabetos à dinâmica eleitoral e política.

Ironicamente, muitos desses "novos eleitores" ajudaram a eleger Collor de Mello, o introdutor das reformas neoliberais no Brasil. Não vamos nos estender sobre sua rápida passagem pela Presidência (Collor afastou-se do cargo para evitar um *impeachment*, mas mesmo assim teve seus direitos políticos cassados por oito anos). Mas devemos agregar que sua agenda de reformas foi implantada – outra ironia devidamente registrada na época – por Fernando Henrique Cardoso, sociólogo mundialmente conhecido como autor da "teoria da dependência".

– V –

Ironias à parte, é no governo de Fernando Henrique Cardoso que o Brasil ingressa de forma consequente na era das reformas neoliberais. A realização mais marcante do período, sem dúvida alguma, foi a administração do Plano Real, programa de estabilização lançado quando Cardoso ocupava o cargo de ministro da Fazenda, logo transformado em carro-chefe da campanha que o elegeu à Presidência da República. Sua concepção intelectual teve alguma importância, mas o sucesso do Plano só se explica no contexto da mudança no comportamento dos investidores internacionais, que voltavam a focalizar os "mercados emergentes", e das transformações parciais introduzidas ainda no governo Collor – as primeiras medidas importantes de abertura comercial e liberalização financeira.

Essa associação íntima entre a política de curto prazo e a transformação dos marcos institucionais da economia brasileira era bem entendida pela equipe de Cardoso, que apostava no aprofundamento das "reformas" para garantir simultaneamente a estabilidade monetária e o crescimento. Não caberia discutir aqui os detalhes de uma ou das outras. Mas vale a pena indicar que nesta época o Brasil passou a sediar um dos maiores programas de privatização do mundo e voltou a constar como um dos principais destinos dos fluxos de investimento externo direto fora da OCDE.

A aplicação das reformas neoliberais no Brasil, porém, não foi tão abrangente quanto se poderia imaginar, nem se deu com acentuado radicalismo. As privatizações foram de grande vulto levadas a cabo até o limite em setores estratégicos como siderurgia, petroquímica e telecomunicações. Mas o setor de energia elétrica terminou o período com um perfil misto e continuavam nas mãos do governo, no mesmo momento, a Petrobras, o BNDES, o Banco do Brasil e a Caixa Econômica Federal, além de algumas outras instituições bancárias em diferentes estados da federação. Houve tentativa de reformar amplamente o sistema de seguridade social (a "reforma da Previdência"), mas a iniciativa não prosperou no Congresso, no qual foram também bloqueados os intentos mais ambiciosos de reforma tributária.

No tocante à política externa também vamos reencontrar esse jogo de claro e escuro. A diplomacia de Cardoso dá continuidade ao *aggiornamento* iniciado no governo Collor, com a aceitação da agenda dos países centrais – liberalização econômica, não proliferação, meio ambiente, direitos humanos, terrorismo – e dá provas evidentes de seu empenho em afirmar a condição do Brasil como membro respeitável da "comunidade internacional" ao assinar o TNP, entre outros gestos de forte simbolismo. Mas reitera seu compromisso com princípios que passam a ser denunciados como obsoletos pelas potências ocidentais no pós-Guerra Fria, como o da não intervenção nos assuntos internos de outros países. Em outro plano, adere muito reticentemente às negociações visando à constituição de uma área de livre comércio no hemisfério (a Alca), cujo desfecho procura adiar insistindo em questões de procedimento, e investe no Mercosul como base para a construção de um espaço econômico internacional próprio, parcialmente externo ao da superpotência.

Nesses e em outros planos, o que resulta desses movimentos de sinais cruzados é uma linha intermediária que a poucos agrada plenamente.

Esse contraponteado não é estranho à política de seu sucessor.

Eleito em novembro de 2002, depois de longa campanha da qual emergiu como o articulador de uma grande aliança desenvolvimentista, de reconstrução do país e dos sonhos de progresso mais equitativo, sem sacrifício, porém, da estabilidade monetária duramente conquistada, Luiz Inácio Lula da Silva iniciou seu governo de forma extremamente cautelosa – pelo menos no tocante à condução da política econômica. Com efeito, nesse terreno a continuidade das diretrizes que marcavam a política de seu antecessor é notável: compromisso com metas ambiciosas de superávit primário, controle estrito da inflação, autonomia do Banco Central. Essa foi a face "conservadora" do governo Lula, que tanta verrina lhe valeu de seus opositores de esquerda, e de certos setores empresariais também.

A opção feita pelo ex-dirigente metalúrgico, um dos fundadores e dirigente maior do PT, partido de esquerda com uma trajetória de sucesso inédita no Brasil e quiçá na América Latina, caiu para muitos como uma surpresa. Mas uma breve alusão ao contexto em que se deu sua vitória eleitoral talvez ajude a esclarecê-la.

Sob muitos aspectos, ele era fortemente adverso. Com o plano de estabilização (o Real) e os ajustes estruturais dos anos 1990, a inflação havia sido debelada. Mas a terapia adotada tinha como efeitos colaterais uma política de juros altos, um crescimento econômico medíocre que se traduzia em indicadores alarmantes de desemprego e renda (magnitude e distribuição). O patrimônio público fora vendido para abater uma dívida que não parou de se multiplicar, com enorme percentual para pagamento de curto prazo. E as empresas estatais foram privatizadas sem marco regulatório previamente definido, de modo que ao regime de monopólio estatal se seguiu outro de monopólios privados operando em ambiente selvagem, que estimulava a busca de lucro rápido, não a eficiência. A crise social era flagrante. Em 1994, havia cerca de 800 mil desempregados na região da Grande São Paulo. Em 2002, eram quase dois milhões. Em todo o país, passava a predominar o chamado desemprego de longo prazo. Havia 50 mil detentos no estado de São Paulo em 1994; passaram a mais de 100 mil em 2001. Brasil e Colômbia são, hoje, os únicos países da América Latina que têm organizações criminosas de massa. Culminando um processo que vinha de longe, no período em causa o crime organizado instalara-se em todas as esferas sociais, todas as classes e grupos, e se estendia ainda por diferentes instâncias do poder público. Alegoria perversa da sociedade competitiva, o crime organizado parecia revelar a verdade recôndita do mercado moderno que foi apresentado como horizonte da integração competitiva na globalização.

Esta "herança maldita", denunciada e lamentada pelo novo governo, foi, porém, decisiva para a mudança de comando. A vitória eleitoral de Lula dependeu muito de uma crise no interior da coligação conservadora reinante e dos efeitos desastrosos de sua política econômica em praticamente todos os aspectos da vida nacional. No último ano de governo Fernando Henrique Cardoso, o país esteve à beira da escuridão, em uma crise energética inédita. Afetando o cotidiano de toda a população brasileira, a crise do "apagão" carregava forte simbolismo: contra a pretensão de competência de um governo de "doutores", ela desnudava a falência do Estado, vencido pelo desmanche da máquina pública.

Esses são alguns dos elementos do quadro de crise social larvar que acometia o país no início da década. Mas, e aí deve recair a ênfase, eles iam de par com outros elementos que tornavam muito problemática a hipótese de ruptura. Apesar dos percalços, as instituições políticas funcionavam regularmente e se apoiavam mutuamente, tendo passado pelo teste crucial do *impeachment* de Collor de Mello e da ampla reforma constitucional promovida pelo governo Fernando Henrique Cardoso. No Congresso e nos governos estaduais as forças de centro-direita eram amplamente majoritárias. E a cada dia tornava-se maior o peso do Judiciário na resolução de questões de fundo, reproduzindo no Brasil o processo observado também em muitos outros países de "judicialização da política". E em uma conjuntura de recuo ou estagnação dos movimentos de massa e de enfraquecimento dos movimentos de esquerda, não apenas no Brasil, mas em todo o mundo, com uma ou outra tímida tentativa de retomada, o Partido dos Trabalhadores (PT) caminhou para as urnas no interior de uma coligação extremamente moderada.

– VI –

Ao contrário de tantos governos de esquerda no continente, Lula sagrava--se em condições de normalidade político-institucional, fato que se expressava igualmente no comportamento do eleitor: ao votar majoritariamente no candidato de esquerda, agora que ele se apresentava em trajes elegantes e com um discurso descontraído, o eleitor escolhia o caminho da mudança tranquila. A política econômica poderia ser menos conservadora, apesar disso. Mas não entendemos a opção por si se abstrairmos este contexto.

Nem tudo, porém, foi continuidade, sequer nesse campo. No governo Lula ocorreu uma redução sensível das taxas de juros (embora elas continuem muito elevadas), uma política sistemática de alongamento do perfil da dívida e de redução da vulnerabilidade externa, que culminou, em 2005, com a quitação da dívida do país com o FMI, e políticas de financiamento do BNDES (segmentos produtivos e de infraestrutura; políticas de crédito e microcrédito) que têm propiciado resultados positivos em termos de crescimento de emprego e renda. A propósito, é significativa como indicação da reorientação, ainda que parcial, da política econômica, a restauração do BNDES, travestido em banco de investimento no governo de Fernando Henrique Cardoso, em seu papel genuíno de banco de desenvolvimento.

Em outros âmbitos as diferenças são mais nítidas. Na política social, temos uma redução (limitada) de desigualdades e redução (significativa) da pobreza e da miséria. As políticas de inclusão foram razoavelmente bem--sucedidas e com reduzidos "vazamentos" (focalização eficaz). Programas de acesso a crédito e a serviços bancários, de reforma agrária (financiamento, crédito, assistência), de apoio à agricultura familiar (crédito, facilidades para comercialização), não apenas resultaram em uma redução dos desesperos dos mais pobres. Segundo Paulo Singer 2005, são "programas emancipatórios" e devem "resultar numa ampliação significativa dos processos de desenvolvimento comunitário, que constituem a melhor maneira de efetivamente combater a pobreza e evitar a criação de novas desigualdades sociais e econômicas". Algo a ainda a comprovar.

"Medidas paliativas", "simples remendos", resmunga a crítica. Mas quando se tem pelas costas dez anos de queda do nível de emprego e estagnação de renda, algumas melhoras, pequenas e pontuais para um observador distante, podem ser vividas como significativas para as massas de excluídos. Essas melhoras seguramente afetam o humor e o modo como esses cidadãos recebem os sinais do mundo, inclusive os sinais televisados. E essas mudanças na vida cotidiana, pequenas na escala de valores dos militantes mais exigentes ou na dos analistas, significam nada menos do que a diferença entre a vida e a morte para milhões de brasileiros. E é no terreno desses significados e representações que em grande parte ocorreu o julgamento político que resultou na reeleição de Lula, em novembro de 2006.

Não há como subestimar a importância desse elemento. As pequenas políticas – que um analista engenhosamente classificou de "lado oculto do governo" – têm enormes implicações. Algumas delas são materiais, como nos indicam exemplos singelos, como o aumento de consumo da chamada linha branca de eletrodomésticos, de material de construção e de móveis populares. Ou como o número de favelas "urbanizadas": com nome de rua e código postal, os moradores podem receber correspondências, encomendas e os móveis comprados pelo crediário, e podem também candidatar-se a um emprego sem ter de fornecer o endereço de um parente "legalizado" para esse efeito. Ou, ainda, a queda persistente dos preços de gêneros de primeira necessidade, a chamada "cesta básica de consumo" das classes populares. Os bancos federais foram orientados para popularizar o acesso a contas correntes, o que significou, para milhões de pessoais, ter um talão de cheques, ter acesso a formas de crédito mais seguras e baratas, e com juros menores do que o crédito pessoal dos bancos convencionais ou dos agiotas. Há também implicações simbólicas: mediante tais políticas, se tem a chance de "virar gente". Por razões como essas, um analista como Paulo Singer chama tais políticas de emancipatórias: liberam não apenas o corpo, mas também a alma do súdito tornado cidadão.

Lula elegeu-se para um segundo mandato (2007-2010) em condições adversas, sob um enorme cerco de mídia. A vitória tem uma lógica que só se entende dentro das dores do quadro herdado e dos remédios, pequenos, mas significativos, que foram aplicados nos primeiros quatro anos de governo.

Mudanças, portanto. Mas é no plano da política externa que elas foram mais evidentes. As primeiras indicações nesse sentido surgiram antes mesmo da transmissão do cargo, com o envio de um emissário pessoal de Lula à Venezuela – na época mergulhada em crise aguda, com o fornecimento de petróleo cortado e a economia em estado de paralisia – e a proposta de criação do "grupo de amigos da Venezuela", cuja atividade contribuiu reconhecidamente para a superação do impasse político. Era só o começo. Logo a seguir a nova orientação da diplomacia brasileira – nova pelo estilo muito mais assertivo e pela maneira como definia seus objetivos – voltava a se expressar na condenação ativa à Guerra do Iraque, na ênfase atribuída à integração econômica e política no subcontinente sul-americano, na política de estreitamento de laços com outros "grandes países da periferia" (com destaque para a Índia, China e África do Sul), e no posicionamento adotado nas negociações comerciais em curso. Com essa nova posição, o Brasil deu uma contribuição decisiva para a virtual desativação do projeto da Alca e passou a desempenhar papel de liderança na articulação que tem assegurado aos países em desenvolvimento uma voz vigorosa na Rodada Doha.

A condução da política externa supõe a possibilidade de mudanças na arquitetura do poder mundial em direção a uma configuração multipolar, e procurar contribuir para que esse processo avance tão rapidamente quanto possível. Mas busca fazer isso operando dentro das instituições vigentes, evitando uma linha de contestação passível de transformar o país, no jargão da área, em uma "nação revisionista". Não surpreende, assim, que, apesar da clara manifestação de divergências, o Brasil mantenha hoje um relacionamento que é tido por ambas as partes como excelente com os Estados Unidos. A reorientação da política externa é patente, mas aqui tampouco vamos encontrar rupturas.

A CONSTRUÇÃO INACABADA: VELHAS QUESTÕES, NOVOS DESAFIOS

Nos últimos anos o Brasil tem aparecido cada vez mais na imprensa internacional ao lado de China, Rússia e Índia como uma força emergente, com peso crescente na condução dos assuntos globais. Para além dos efeitos de uma conjuntura econômica excepcionalmente favorável, esse fato reflete a percepção externa de algumas das tendências econômicas e sociais positivas aludidas neste artigo, a avaliação a respeito do potencial do país – que parece crescer à medida que aumenta a preocupação com o quadro ambiental do planeta – e os sucessos da diplomacia brasileira.

O entusiasmo de alguns, porém, não deve alimentar ilusões. As fragilidades de base do Brasil são grandes. A pauta de exportações do país ainda é bastante dependente de *commodities* agropecuárias e minerais e é vulnerável a movimentos protecionistas do Norte. O chamado agronegócio responde por 30% das exportações brasileiras – e as exportações respondem por mais de 50% do faturamento do setor. Ainda pesa sobre as finanças nacionais uma grave dívida pública, ainda que hoje menos presa ao curto prazo e com ampliação das reservas. As relações de pagamento com o mundo ainda são agravadas pelo enorme dispêndio com remessa de lucros, juros, *royalties*, em uma indústria fundamentalmente voltada para o mercado interior, mas com titularidade fortemente concentrada em mãos de não residentes. O financiamento de infraestrutura para um novo salto de desenvolvimento esbarra em enormes dificuldades – inclusive embargos impostos pela reação conservadora no Legislativo e no Judiciário.

As disparidades sociais seguem muito altas, com uma das maiores polarizações internacionais, quando se pensa na relação entre os 20% mais ricos e os 20% mais pobres. Em efeito retroalimentador, o impacto ideológico dessa desigualdade é brutal: é enorme a resistência a políticas de igualdade, com a legitimação de valores supostamente "meritocráticos" e que, de fato, são quase que aristocráticos.

Para piorar o quadro, o sistema político é muito resistente à mudança. A representação congressual é um exemplo. Há cerca de cinquenta anos, Celso Furtado apontava para o conflito persistente entre o mandato do presidente da República, resultado de uma eleição nacional em que cada cabeça é um voto, e o mandato do Congresso, com suas distorções de representação que favorecem enormemente os estados pouco populosos e as oligarquias. Em 1964, às vésperas do golpe militar reacionário apoiado pelos norte-americanos, esse conflito era resumido em um *slogan* da esquerda: presidente progressista, Congresso reacionário. O presidente encarnava esperanças reformistas e o parlamento assumia a defesa encarniçada do *status quo*. Passadas tantas décadas, o cenário não é muito diferente. Agregue-se à frente reacionária e conservadora um Judiciário profundamente atrelado aos interesses oligárquicos e praticamente imune a qualquer mudança. As iniciativas de reforma agrária e de acesso a direitos, por exemplo, encontram, em cada canto do país, uma porta do Judiciário para embargá-las.

Há algum tempo, quando estava na moda falar no modelo econômico brasileiro, por muitos considerado um "milagre", Celso Furtado advertia que esse caso demonstrava a insuficiência da industrialização como meio de superação do subdesenvolvimento. Nos seus últimos anos de vida, costumava falar da trajetória brasileira como uma "construção interrompida". Em seus escritos, desenhava o modelo de desenvolvimento que julgava desejável e possível, combinando quatro grandes vetores:

a) crescimento sustentado: constante (não ciclotímico), durável e não baseado no uso predatório dos recursos naturais e humanos;
b) razoável integração nacional e redução das desigualdades regionais;
c) internalização de dinamismos (econômicos, tecnológicos) e de centros decisórios;
d) incorporação significativa das massas no processo econômico, social, político.

Em geral, nas assim chamadas ciências duras, em uma soma vetorial, podemos supor os componentes como independentes. Não é assim, contudo, no terreno da história humana. Os quatro vetores anteriormente mencionados condicionam-se uns aos outros. Assim, por exemplo, se a incorporação social e política das massas é ou pode ser resultado dos três outros fatores, ela é, também, condição política para viabilizá-los. E de certo modo o resultado, antevisto e apresentado como projeto pelo Novo Príncipe, atua como força real.

Retomar a construção interrompida, já se vê, implica atacar velhas questões. Nas condições do Brasil atual, elas se traduzem em um conjunto de desafios, dos quais os alinhados a seguir nos parecem de especial importância:

1) Avançar na fronteira tecnológica; criar capacidade própria de geração de conhecimentos e inovações.

Trata-se da necessidade imperiosa de massificar e capilarizar a educação e a pesquisa, inclusive aquela de cunho essencialmente incremental, adaptativo. Dado o perfil da fronteira tecnológica, o desenvolvimento brasileiro não tem como deixar de ser *knowledge-based* se o país quiser abandonar o caráter reflexo e dependente de sua economia e de sua política.

Por outro lado, essa tecnologia não diz respeito apenas ao mais óbvio campo de aplicação, a indústria. Considerados o tamanho e o perfil do país, o desenvolvimento brasileiro não tem como deixar de ser, também, grandemente *rural-based*, explorando suas potencialidades agropecuárias e de base energética. A aplicação da investigação tecnocientífica pode fazer do país um caso pioneiro de nova combinação, sustentável, de desenvolvimento urbano e rural.

2) Fortalecimento do Estado, como instituição e como garantidor dos direitos (civis, políticos e sociais) das camadas destituídas.

O Estado não apenas precisa cumprir o papel de capitalista coletivo ideal, como aparece na célebre imagem de Engels. Podemos agregar um pouco de Polanyi a essa visão marxista. Para viabilizar o desenvolvimento econômico e impedir que este seja afetado pelas resistências e turbulências políticas, geradas pela grande transformação, o Estado precisa garantir "recompensas para os perdedores" mediante políticas sociais ousadas. E devemos reforçar a dose, quando levamos em conta as desigualdades abissais que são a marca tristemente característica deste país e a resistência encarniçada que mudanças, ainda que minúsculas, nesse quadro costumam provocar. Não se deve minimizar, tampouco, o caráter politicamente emancipatório das políticas de inclusão socioeconômica. Sair da pobreza significa, com muita frequência, sair também da obediência servil. Nesse sentido, o fortalecimento do Estado é condição, simultaneamente, para o desenvolvimento e para a democracia.

3) Lei – criminalidade difusa e crime organizado, aspecto dos mais sombrios da "globalização".

Pode-se dizer que já existe no Brasil um crime organizado "de massa", com grandes organizações que dominam morros, bairros periféricos das metrópoles. Mas ele não é uma característica do "lado pobre" do país – o crime organizado atravessa a sociedade e certamente é coordenado a partir de seus centros "educados". Nesse sentido, é, fundamentalmente, um crime "de elite", com ampla rede de agentes no sistema bancário, no comércio, no aparato político – Câmaras legislativas, Judiciário, Executivos locais. O desafio aqui é o de promover as mudanças requeridas no aparelho policial e Judiciário para dobrar seu viés de classe, preparando-os para combater o crime nos setores privilegiados da sociedade brasileira e para respeitar os direitos civis das populações destituídas, vítimas costumeiras da violência desregrada da polícia.

4) No plano externo, conjugar o papel que o país desempenha – e tende cada vez mais a desempenhar – por seu próprio peso no mundo e sua disposição de contribuir para o processo de integração regional (na América do Sul, particularmente) como condição para a realização do potencial e da autonomia de todos os países nele envolvidos

O fato de avançar na superação desses desafios não vai transformar o Brasil em uma "Nova Roma" – afinal, havia um tom assumidamente jocoso na metáfora –, mas provocará um sorriso de satisfação no irrequieto Darcy Ribeiro, onde quer que ele tenha parado.

REFERÊNCIAS BIBLIOGRÁFICAS

A VOLTA de Zelaya. *O Estado de S. Paulo*, 23 set. 2009.

AMÉRICA DO SUL será prioridade do BNDES. *O Estado de S. Paulo*, 17 maio 2003.

BRASIL impulsiona política industrial comum. *O Estado de S. Paulo*, 17 maio 2003.

EUA podem ir à OMC contra pirataria brasileira. *O Estado de S. Paulo*, 5 jun. 2002.

ITAMARATY não tem sucesso ao elaborar nova política externa. *Folha de S. Paulo*, 17 fev. 1991.

OBAMA sides with Chavez, Castro against Honduran democracy. *Examiner*, 2 jul. 2009.

OBAMA stands with tyrants. *The Washington Times*, 2 jul. 2009.

PLANO de nova política externa causa polêmica. *O Estado de S. Paulo*, 25 fev. 1990.

PT avisa que vai mudar rumo da diplomacia. *O Estado de S. Paulo*, 15 dez. 2002.

SERRA vê "trapalhada". *O Estado de S. Paulo*, 29 set. 2009.

SARNEY critica uso político da missão. *O Estado de S. Paulo*, 29 set. 2009.

THE WAGES of Chavismo. The Honduran coup is a reaction to Chávez's rule by the mob. *The Wall Street Journal*, 2 jul. 2009.

ALMEIDA, Paulo Roberto de. A política externa do novo governo do presidente Luiz Inácio Lula da Silva. Retrospecto histórico e avaliação pragmática. *Revista Espaço Acadêmico*, ano II, n.19, dez. 2002.

AMORIM, Celso. A Alca possível. *Folha de S. Paulo*, 8 jul. 2003.

______. Entrevista concedida ao jornal *O Globo*, 29 out. 2006.

ARAÚJO, Angela M. Carneiro. *Reestruturação produtiva e negociação coletiva nos anos 90*. Departamento de Ciência Política/Unicamp, 1997.

ARBILLA, José Maria. *A diplomacia das ideias: a política da renovação conceitual da política externa na Argentina e no Brasil (1989-1994)*. Rio de Janeiro, 1997. Dissertação (Mestrado) – IRI-PUC/RIO.

ARBIX, Glauco. Trabalho: dois modelos de flexibilização. *Lua Nova*, n.37, 1996a, p.171-90.

______. *Uma aposta no futuro*. São Paulo: Scritta, 1996b.

BACEVITCH, Drew J. *American Empire. The Realities and Consequences of U. S. Diplomacy*. Cambridge, MS.: Harvard University Press, 2002.

BALTAR, Paulo Eduardo de Andrade; PRONI, Marcelo Weishaupt. *Flexibilidade do trabalho, emprego e estrutura salarial no Brasil.* Cadernos do CESIT, Texto para discussão n.15, junho de 1995.

BANDEIRA, Moniz. *Presença dos Estados Unidos no Brasil (Dois séculos de História)*. Rio de Janeiro: Civilização Brasileira, 1973.

BARBOSA, Rubens. Uma gestão temerária da crise. *O Estado de S. Paulo*, 24 set. 2009.

BORGES, Juliano da Silva. *Propriedade intelectual: ofensiva revisora e a nova lei de patentes brasileira*. Rio de Janeiro, 2000. Dissertação (Mestrado em Ciência Política) – IUPERJ.

CARDOSO, Adalberto Moreira. O sindicalismo corporativo não é mais o mesmo. *Novos Estudos*, n.48, jul. 1997, p.97-119.

CARDOSO, Fernando Henrique. Caminhos novos? Reflexões sobre alguns desafios da globalização. *Política Externa*, v.16, n.2, 2007.

CASTRO, Antonio Barros de. A capacidade de crescer como problema. In: VELLOSO, João Paulo dos Reis (org.). *O real, o crescimento e as reformas.* Rio de Janeiro: José Olympio, 1996, p.75-93.

CASTRO, Nadya Araujo de. Trabalho e organização industrial num contexto de crise e reestruturação produtiva. *São Paulo em Perspectiva*, v.8, n.1, 1994, p.116-32.

CERVO, Amado Luiz. Os grandes eixos conceituais da política exterior do Brasil. *Revista Brasileira de Política Internacional*, ano 41, n. especial, "40 anos", 1998.

CERVO, Amado Luiz; BUENO, Clodoaldo. *História da política exterior do Brasil.* São Paulo: Ática, 1992.

CHADE, Jami. Relatório do Banco Mundial sugere revisão da lei de patentes. *O Estado de S. Paulo*, 1º jan. 2001.

______. México e EUA rejeitam proposta da "ALCA light". *O Estado de S. Paulo*, 21 jun. 2003.

CHARLEAUX, João Paulo. Invasão de embaixada é juridicamente possível. *O Estado de S. Paulo*, 29 set. 2009.

CHILD, John. Managerial Strategies. New Technology and the Labour Process. In: Pahl, R. H. (ed.) *On work*. Historical, Comparative and Theoretical Approaches. New York: Basil Blackwell, 1989, p.229-257.

COLIGAÇÃO por um Brasil Decente PSDB/PFL. *Programa de Governo. Geraldo Alckmin Presidente* (Disponível na www).

CORREA, Luiz Felipe de Seixas. As relações internacionais do Brasil em direção ao ano 2000. In: FONSECA JR., Gelson; LEÃO, Valdemar Carneiro (orgs.). *Temas de política externa brasileira*. Brasília, Funag/Ática, 1989, p.237-38.

CORTELL, Andrew P.; DAVIES, James W. Understanding the domestic impact of international norms: a research agenda. *International Studies Review*, v.2, n.1, 2000, p.65-90.

CROUCH, Colin. *Class conflict and the industrial relations crisis. Compromise and corporatism in the policies of the British State.* Londres: Heinemann Educational Books, 1977.

CRUZ JR., Ademar Seabra de; CAVALCANTE, Antonio Ricardo F.; PEDONE, Luiz. Brazil's foreign policy under Collor. *Journal of Interamerican Studies and World Affairs*, v.35, n.1, 1993.

DANTAS, San Tiago. *Política externa independente*. Rio de Janeiro: Civilização Brasileira, 1962.

DAREMBLUM, Jaime. A Coup for Democracy. And a major defeat for Chavez. *Weekly Standard*, 2 jul. 2009.

DEPARTMENT OF DEFENSE. *Report to Congress. Annual Report on The Military Power of the People's Republic of China*. Washington, DC, 2003.

DINIZ, Eli. *Crise, reforma do Estado e governabilidade, Brasil 1985-1995*. Rio de Janeiro: FGV, 1997.

DOREMUS, Paul N. The externalization of domestic regulation: Intellectual Property rights reform in a global era. *Science Communication*, v.17, n.2, 1995, p.137-62.

ERBER, Fábio. As convenções de desenvolvimento no Brasil: um ensaio de economia política. Trabalho apresentado no 5º Fórum de Economia da FGV-SP, 15 set. 2008.

ESCUDÉ, Carlos. US political destabilisation and economic boycott of Argentina during the 1940s. In: TELLA, Guido di; WATT, D. Cameron (eds.). *Argentina between the great powers*, 1939-46. Macmillan/St. Anthony College, 1989.

ESCUDÉ, Carlos. *O realismo dos Estados Débiles*. La política exterior del primer Gobierno Menen frente a la teoria de las relaciones internacionales. Buenos Aires: Grupo Editor Latinoamericano, 1995.

ESTRADA, Miguel A. "Honduras' non coup". *Los Angeles Times*, 10 jul. 2009.

EVANS, Peter. Declining Hegemony and Assertive Industrialization: U.S.-Brazilian Conflict in the computer Industry. *International Organization*, 43 (2), 1989, p.207-38.

FARIA, Vilmar. Desenvolvimento, urbanização e mudanças na estrutura do emprego: a experiência brasileira dos últimos 30 anos. In: SORJ, Bernardo; ALMEIDA, Maria Hermínia Tavares de (orgs.). *Sociedade e política no Brasil pós-64*. São Paulo: Brasiliense, 1983, p.118-63.

FERGUNSON, Niall. *Colossus. The Price of America's Empire*. Nova York: The Penguin Press, 2004.

FERNANDES, Florestan. *A revolução burguesa no Brasil*. Rio de Janeiro: Zahar, 1975.

FONSECA JR., Gelson. Anotações sobre as condições do sistema internacional no limiar do século XXI: a distribuição dos polos de poder e a inserção internacional do Brasil. *Política Externa*, v.7, n.4, 1999, p.46.

______. Mundos diversos, argumentos afins: notas sobre aspectos doutrinários da política externa independente e do pragmatismo responsável e Alguns aspectos da política externa brasileira contemporânea. In: *A legitimidade e outras questões internacionais*. São Paulo: Paz e Terra, 1998.

FONSECA JR., Gelson; CASTRO, Sérgio Henrique Nabuco de. *Temas de política externa brasileira II*. Brasília: Funag/Ipri, v.I, 1994, p.49-78.

GAJARDONI, Almyr. Não podemos mais ficar omissos. *Notícias*, 29 abr. 1996, p.4-11.

GHOLZ, E.; PRESS, D. SAPOLSKY, H. M. Come Home America. The Strategy of Restraint in the Face of Temptation. *International Security*, v.21, n.4, 1997, p.3-48.

GOWAN, Peter. *Contemporary Intra-Core Relations and World Systems Theory*. (Disponível na www).

GREENHALGH, Laura; TAVARES, Flavia. A justa medida do jogo diplomático. *O Estado de S. Paulo*, 5 jul. 2009.

GRUPO DE CONJUNTURA. Cenários Políticos no Início dos anos 90. *Cadernos de Conjuntura*, n.25, IUPERJ, fev. 1990.

GUIMARÃES, Cesar. Envolvimento e ampliação: a política externa dos Estados Unidos. In: GUIMARÃES, Samuel Pinheiro (org.). *Estados Unidos: visões brasileiras*. Brasília: Instituto de Pesquisa de Relações Internacionais, Fundação Alexandre Gusmão, 2000, p.9-63.

HALLIDAY, Fred; ROSENBERG, Justin. Interview with Ken Waltz. *Review of International Studies*, vol. 14, n. 3, 1998, p. 371-386.

HENNEMANN, Gustavo. Status de líder deposto divide especialistas. *Folha de S.Paulo*, 2 abr. 2009.

HERRERA, Jari Dixon. *Golpe de Estado y suplantación de Soberania Popular* (Disponível na www).

HIRST, Mônica. Obstáculos ao governo regional no hemisfério ocidental: velho regionalismo na nova ordem mundial. *Política Externa*, v.4, n.2, 1995.

HIRST, Mônica; LIMA, Maria Regina Soares de. O Brasil e os Estados Unidos: dilemas e desafios de uma relação complexa. In: FONSECA JR., Gelson; CASTRO, Sergio Henrique Nabuco de (orgs.). *Temas de política externa brasileira*. Funag/ Ipri, v.II, p.43-64.

HIRST, Mônica; PINHEIRO, Letícia. A política externa do Brasil em dois tempos. *Revista Brasileira de Política Internacional*, v.38, n.1, 1995.

IKENBERRY, G. John. American power and the empire of capitalist democracy. In: COX, Michael; DUNNE, Tim; BOOTH, Ken (eds.). *Empires, Systems and States*. Cambridge: Cambridge University Press, 2001, p.191-212.

INDIA, China to work together on Doha round. *The Hindu Business Line*, 28 jun. 2003. (Disponível na www).

INTERNATIONAL INSTITUTE FOR STRATEGIC STUDIES. *Strategic Survey, 2003-2004*, p.20ss.

JAGUARIBE, Hélio. Introdução geral. In: ALBUQUERQUE, J. A. G. (org.). *Crescimento, modernização e política externa. Sessenta anos de política externa brasileira (1930-1990)*, v.I. São Paulo: Cultura Editores Associados/Núcleo de Pesquisa em Relações Internacionais da USP, 1996.

JENKINS, Rob. *Democratic politics and economic reform in India*. Cambridge: Cambridge University Press, 1999.

JERVIS, Robert. Theories of War in an Era of Leading-Power Peace: Presidential Address. *American Political Science Review*, v.96, n.1, 2000, p.1-14.

JOHNSON, Chalmers. *The Sorrows of Empire. Militarism, Secrecy, and the End of the Republic*. Nova York: Metropolitan Books, 2004.

KUPCHAN, Charles A. Hollow Hegemony or Stable Multipolarity? In: IKENBERRY, G. John. *American Unrivaled. The future of the balance of power.* Ithaca/Londres: Cornell University Press, 2002, p.68-97.

______. *The End of the American Era. U.S. foreign Policy and the geopolitics of the Twenty-First Century*. Nova York: Alfred A. Knopf, 2003.

LAFER, Celso. *A identidade internacional do Brasil e a política externa brasileira*. São Paulo: Perspectiva, 2004.

LAMPREIA, Luiz Filipe. Abrigar líder deposto pode custar caro ao Itamaraty. *O Estado de S. Paulo*, 27 set. 2009.

LEITE, Paulo Moreira. Acirra-se a disputa pela tecnologia digital no Brasil. *Gazeta Mercantil*, 15 mar. 2001.

LESSA, Carlos. O novo momento histórico do BNDES. *Jornal dos Economistas*, n.165, abr. 2003.

LEWIS, Colin M. Explaining economic decline. A review of recent debates in the economic and social history literature on the Argentine. *European Review of Latin American and Caribbean Studies*, n.64, 1998, p.49-68.

LIMA, Maria Regina Soares de. Ejes analíticos y conflicto de paradigmas en la política exterior brasileña. *América Latina/Internacional*, v.1, n.2, 1994.

LIMA, Maria Regina Soares de. Instituições democráticas e política exterior. *Contexto Internacional*, 22, n.2, 2000, p.289-90.

LIMA, Paulo de Tarso Flecha de. A política externa de Collor: modernização ou retrocesso?. *Política Externa*. V.1, n.4, 1993, p.106-35.

LIMA, Paulo de Tarso Flecha de. Modernização e obstáculos para a internacionalização da economia brasileira. *Revista Brasileira de Política Internacional*, ano 31, 123-124, 1988/2, p.103-6.

LIMA, Paulo de Tarso Flecha de. O Brasil no panorama internacional. Desafios e controvérsias. *Revista Brasileira de Política Internacional*, ano 33, 129-130, 1990, p.16.

LO, Bobo. *Vladmir Putin and the Evolution of Russian Foreign Policy*. Londres: The Royal Institute of International Affairs/Blackwell Publishing, 2003.

LULA propõe bloco contra as desigualdades. *O Estado de S. Paulo*, 23 maio 2003.

MACHADO, João. Pela tradição marxista. *Teoria & Debate*, maio 1990, p.15-9.

MANCHÚ, Rigoberta. Golpe en Honduras despetó a la derecha extrema en Centroamérica. *Semanário Universidad*. (Disponível na www).

MARTINS, Luciano. A autonomia política do governo Collor. In: *Plano Collor. Avaliações e perspectivas*. Rio de Janeiro: Livros Técnicos e Científicos, 1990.

MASTANDUNO, Michael. Preserving the Unipolar Moment: Realist Theories and U.S. Grand Strategy after the Cold War. *International Security*, v.21, n.4, 1997, p.49-88.

MELLO, Flávia de Campos. *Regionalismo e inserção internacional. Continuidade e transformação da política externa brasileira nos anos 90*. São Paulo, 2000. Tese (Doutorado) – FFLCH, USP.

MENEGHELLI, Jair. *A política internacional da CUT*. São Paulo: SRI-CUT, 2003.

MERKEL, Wolfgang. Legitimacy and Democracy: Endogenous Limits of European Integration. In: ANDERSON, Jeffrey J. (ed.). *Regional Integration and Democracy*. Oxford: Rowman & Littlefield Publishers, 1999.

MINISTÉRIO DAS RELAÇÕES EXTERIORES. *Reflexões sobre a política externa brasileira*. Brasília: Funag/Ipri, 1993, p.304-11.

MINISTÉRIO DO DESENVOLVIMENTO, INDÚSTRIA E COMÉRCIO EXTERIOR/ SECEX, Exportação Brasileira Liga Árabe. Totais por Fator Agregado. 6 out. 2006. (Disponível na www).

MINISTRY OF FOREIGN AFFAIRS OF THE PEOPLE'S REPUBLIC OF CHINA. *China's EU Policy Paper*. 13 out. 2003.

NARLIKAR, Amrita. *International Trade and Developing Countries; bargaining coalitions in the GATT & WTO*. Londres: Routledge, 2003.

NORONHA, Eduardo Garutti. *Greves na transição brasileira*. Campinas, 1992. Dissertação (Mestrado) – Departamento de Ciência Política, IFCH/Unicamp.

NUN, José. *Democracia*. Buenos Aires: Fondo de Cultura Económica, 2001.

PENROSE, Edith T. *La economia del Sistema Internacional de Patentes*. México/Buenos Aires/Madri: Siglo Veintiuno, 1974.

PIERSON, Paul. *Dismantling the Welfare State? Reagan, Thatcher, and the Politics of Retrenchment*. Cambridge: Cambrige University Press, 1994.

PORTELLA DE CASTRO, Maria Silvia. Considerações sobre o mercado de trabalho e o movimento sindical no âmbito do Mercosul. In: ZYLBERSTAJN, Hélio et al. (org.). *Processos de integração regional e a sociedade*. São Paulo: Paz e Terra, 1996, p.44-71.

POSEN, B. R.; ROSS, A. L. Competing Visions for U.S. Grand Strategy. *International Security*, v.21, n.3, 1996/97.

PT avisa que vai mudar rumo da diplomacia. *O Estado de S. Paulo*, 15 dez. 2002.

RAMOS-MROSOVSKY, Carlos; RAYMER, Matthew. Saving the rule of law. The Hondurans were right to dump Zelaya. *National Review*, 24 jul. 2009.

Remarks By President Obama and President Uribe of Colombia in Joint Avaiability. The White House, Office of the Press Secretary, 29 jun. 2009

RICUPERO, Rubens. O Brasil, a América Latina e os EUA desde 1930: 60 anos de uma relação triangular. In: ALBUQUERQUE, J. A. G. (org.). *Crescimento, modernização e política externa. Sessenta anos de política externa brasileira (1930-1990)*, v.I. São Paulo: Cultura Editores Associados/Núcleo de Pesquisa em Relações Internacionais da USP, 1996.

RICUPERO, Rubens. *Rio Branco: O Brasil no mundo*. Rio de Janeiro: Contraponto/ Petrobras, 2000.

ROCHA PINTO, Paulo Gabriel Hilu. "Golpe do baú" atrapalha relação, diz analista. *Folha de S.Paulo*, 8 maio 2005.

RUSSIAN PREMIER: Russia-WTO negotiations enter final stage. *On-Line Pravda*, 25 jul. 2002.

SABEL ,Charles; PIORI, Michael. *The second industrial divide: possibilities for prosperity*. Basic Books, 1984.

SANTOS, Wanderley Guilherme dos. A pós-Revolução brasileira. In: JAGUARIBE, Helio (ed.). *Brasil. Sociedade democrática*. Rio de Janeiro: José Olympio, 1985, p.223-335.

SELL, Susan K. Multinational corporations as agents of change. The globalization of IPR. In: CUTLER, A. Clarie; HAUFER, Virginia; PORTER, Tony (eds.). *Private authority and international affairs*. State University of New York Press. 1999, p.169-97.

SHAW, Martin. *The New Western Way of War. Risk Transfer, War, and its Crisis in Iraq*. Londres: Polity Press, 2005.

SHAW, Martin. *Theory of the Global State*. Londres: Cambridge University Press, 2000.

SINGER, Paul. O lado oculto do governo. *Teoria e Debate*, n.61, São Paulo: Fundação Perseu Abramo, fev./mar. de 2005. disponível em: <http://www.fpabramo.org.br/conteudo/debate-o-lado-oculto-do-governo>. Acesso em: 16 mar. 2010

TELLA, Guido di. Argentina between the great powers, 1939-46: a revisionist summing-up. In: TELLA, Guido di; WATT, D. Cameron (eds.). *Argentina between the great powers, 1939-46*. Macmillan/St. Anthony College, 1989.

TERTRE, Christian du. *Technologie, flexibilité, emploi. Une approche sectorielle du post-taylorisme*. Paris: L'Harmattan, 1989.

TETLOCK, Philip E.; BELKIN, Aaron (eds.). *Counterfactual thought experiments in world politics: logical, methodological, and psychological perspectives*. Princeton: Princeton University Press, 1996.

TODD, Emmanuel. *Après L'Empire*. Essai sur la décomposition du système américain. Paris: Gallimard, 2002.

TULCHIN, Joseph S. The origins of misunderstanding: United States–Argentine relations 1900-1940. In: TELLA, Guido di; WATT, D. Cameron (eds.). *Argentina between the great powers, 1939-46*. Macmillan/St. Anthony College, 1989.

URAYAMA, Kori. China Debates Missile Defense. *Survival*, v.46, n.2, 2004, p.123-42.

VAÏSSE, J. Les États-Unis sans Wilson. L'Internationalisme américain après la guerre froide. *Critique Internationale*, n.3, 1999.

VELASCO E CRUZ, Maria Cecília. Portos, relações de produção e sindicatos. *Ciências Sociais Hoje*. São Paulo: Cortez, 1986, p.143-70.

______. Virando o jogo: estivadores e carregadores no Rio de Janeiro da Primeira República, 1997 (mimeo).

VELASCO E CRUZ, Sebastião C. 1977-1978: os empresários e a reemergência da questão social. In: *O presente como história. Economia e política no Brasil pós-64*. Campinas: Ed. da Unicamp, 1997a.

VELASCO E CRUZ, Sebastião C. Política industrial e crise: perspectivas teóricas sobre o tema da investigação. In: *Estado e economia em tempos de crise*. Rio de Janeiro/Campinas: Relume Dumará, 1997b.

VELASCO E CRUZ, Sebastião C. *Estado e economia em tempo de crise. Política industrial e transição política no Brasil nos anos 80*. Rio de Janeiro/Campinas: Relume Dumará/Ed. da Unicamp, 1997c, p.161.

VELASCO E CRUZ, Sebastião C. Desencontros. O Brasil e o Mundo no Limiar dos anos 80. IFCH/UNICAMP, *Primeira Versão*, n.88, 1999.

VELASCO E CRUZ, Sebastião C. Opções estratégicas. O papel do Brasil no sistema internacional. *Lua Nova*, n.53, 2001, p.135-58.

VIGEVANI, Tullo. *O Contencioso Brasil-Estados Unidos da Informática. Uma análise sobre a formulação da política exterior.* São Paulo: Alfa Ômega/Edusp, 1995.

WADE, Robert. The Asian debt-and-development crisis of 1997-? Causes and consequences. *World Development*, v.26, n.8, 1998, p.1535-53.

WALTZ, K. N. Structural realism after the Cold War. *International Security*, v.25, n.1, 2000.

______. Structural realism after the Cold War. In: IKENBERRY, G. John (ed.). *American Unrivaled. The future of the balance of power.* Ithaca/Londres: Cornell University Press, 2002.

WARSHOFSKY, Fred. *The Patent Wars*. The Battle to Own the World's Technology. New York: John Willey & Sons, 1994.

WEBER, Max. Possibilité objective et causalité adéquate en histoire. In: *Essais Sur La Torie de la Sicence*. Paris: Librairie Plon, 1965, p.290-323.

WORLD BANK. *World Development Indicators Database*, set. 2004.

WROBEL, Paulo S. A Free Trade Area of the Americas in 2005?. *International Affairs*, v.74, n.3, 1998, p.547-63.

ZARMEÑO, Sergio. Desidentidad y desorden: México en la economia global y en el libre comercio. *Revista Mexicana de Sociologia*, n.1, 1991.

______. La derrota de la sociedad. *Revista Mexicana de Sociologia*, n.2, 1993.

______. *La sociedad derrotada. El desorden mexicano del fin de siglo.* Mexico: Siglo Veinteuno, 1996.

Outros títulos da Coleção Estudos Internacionais

Acordos comerciais internacionais: o Brasil nas negociações do setor de serviços financeiros
Neusa Maria Pereira Bojikian

Conflitos internacionais em múltiplas dimensões, os
Reginaldo Mattar Nasser (org.)

Controle civil sobre os militares: e política de defesa na Argentina, no Brasil, no Chile e no Uruguai
Héctor Luis Saint-Pierre (org.)

De Clinton a Obama: políticas dos Estados Unidos para a América Latina
Luis Fernando Ayerbe

Novas lideranças políticas e alternativas de governo na América do Sul
Luis Fernando Ayerbe (org.)

Petróleo e poder: o envolvimento militar dos Estados Unidos no Golfo Pérsico
Igor Fuser

Sob o Signo de Atena: gênero na diplomacia e nas Forças Armadas
Suzeley Kalil Mathias (org.)

Trajetórias: capitalismo neoliberal e reformas econômicas nos países da periferia
Sebastião Carlos Velasco e Cruz

SOBRE O LIVRO
Formato: 16 x 23
Mancha: 26 x 48,6 paicas
Tipologia: StempelSchneidler 10,5/12,6
Papel: Off-set 75g/m² (miolo)
Supremo 250 g/m² (capa)
1ª edição: 2010

EQUIPE DE REALIZAÇÃO

Capa
Andrea Yanaguita

Edição de Texto
Regina Machado (copidesque)
Renata Campos (preparação)
Alberto Bononi (revisão)

Editoração Eletrônica
Eduardo Seiji Seki

impressão acabamento

rua 1822 nº 341
04216-000 são paulo sp
T 55 11 3385 8500
F 55 11 2063 4275
www.loyola.com.br